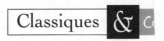

Collection animée
Jean-Paul Brighelli et Michel Dobransky

Vercors

Zoo
ou l'Assassin philanthrope

Présentation, notes, questions et après-texte établis par

JOCELYNE HUBERT
professeur de Lettres

MAGNARD

Sommaire

PRÉSENTATION
Vercors : « De la Résistance à la philosophie » 5
Les intellectuels dans l'histoire 7
Structure de *Zoo ou l'Assassin philanthrope* 11

ZOO OU L'ASSASSIN PHILANTHROPE
Texte intégral 13

Après-texte

POUR COMPRENDRE
Étapes 1 à 10 (questions) 140

GROUPEMENT DE TEXTES
Le propre de l'homme 161

INFORMATION / DOCUMENTATION
Bibliographie, visites, filmographie, Internet 177

VERCORS : « DE LA RÉSISTANCE
À LA PHILOSOPHIE »

« Un écrivain qui résistait » ou un « résistant qui écrivait »[1]. La question ne se pose pas pour Vercors qui « devient » écrivain, résistant et éditeur par le même engagement, en publiant aux Éditions de Minuit, qu'il crée avec Pierre de Lescure (1942), une œuvre de résistance au nazisme : *Le Silence de la mer*, roman qui marque l'entrée en littérature de Jean Bruller, dit Vercors.

Jean Bruller est né à Paris le 26 février 1902, d'une mère institutrice et d'un père éditeur. Après des études scientifiques brillantes qui ne le passionnent guère, il choisit une carrière de dessinateur plutôt que d'ingénieur. L'humour noir semble avoir été la marque de fabrique de Jean Bruller dessinateur. Son premier recueil, *21 Recettes pratiques de mort violente à l'usage des personnes découragées ou dégoûtées de la vie, pour des raisons qui ne nous regardent pas* (1926), donne le ton. Suivront *Un homme coupé en tranches* (1929) et un recueil de gravures, *La Danse des vivants* (1938), qui illustrent les textes de Kipling, Poe et Shakespeare. L'Occupation interrompt la production de ces œuvres que J. Bruller refuse de publier sous l'*imprimatur*[2] allemande. Il tente de faire publier son *Hamlet* par un éditeur réfugié en Algérie. Avec les mensualités touchées pour les dessins, il fonde les Éditions de Minuit qui publient Mauriac sous le nom de Forez (*Le Cahier noir*), Aragon sous le nom de François La Colère (*Le Musée Grévin*) et, sous son propre nom, Eluard dans

---

1. Sartre, entretien avec Gérassi, cité par Annie Cohen-Solal, *Sartre 1905-1980*, Gallimard.
2. Autorisation de publier.

L'Honneur des poètes. Vercors conserve son nom de guerre après la Libération. Membre de la Commission d'épuration de l'édition, il en démissionne en raison de l'inégalité des sanctions à l'encontre des écrivains, chantres de la Collaboration avec l'Allemagne nazie, et de leurs éditeurs encore plus coupables, mais jamais pénalisés. Il refuse de participer à l'établissement d'une « liste noire » et renvoie les écrivains au jugement de leur conscience (*Le Sable du temps*, 1945). En 1948, Vercors quitte les Éditions de Minuit et se consacre à l'écriture d'une œuvre littéraire centrée, comme l'œuvre dessinée, sur la multiplicité de l'être humain, sans jamais cesser d'être présent partout où son engagement pouvait servir la cause de l'homme. S'il s'engage aux côtés des communistes dans le mouvement pacifiste des « Citoyens du Monde », il démissionne en 1956 de la présidence du C.N.E. (Comité national des écrivains), d'obédience communiste, et s'en explique avec humour dans *P.P.C.* (*Pour prendre congé*, 1957). On le retrouve en 1960 avec les signataires du « Manifeste des 121 » au procès des « réseaux de soutien » au F.L.N. (*cf.* p. 8-9). Interrogé vingt ans plus tard sur le « silence des intellectuels » [3] après l'avènement de la gauche, Vercors défend leur refus de s'engager en acceptant des responsabilités gouvernementales qui menaceraient leur liberté de choix. « De la Résistance à la philosophie » [4], l'itinéraire de Vercors ressemble fort à celui que Sartre prête à son « existentialiste » : « Une fois jeté dans le monde, il est responsable de tout ce qu'il fait. » [5]

---

3. Titre d'une enquête du journal *Le Monde*, présentée par Max Gallo (26 juillet 1983).
4. Titre d'une conférence donnée par Vercors, en 1967.
5. *L'Existentialisme est un humanisme*, J.-P. Sartre, Gallimard, 1946.

LES INTELLECTUELS DANS L'HISTOIRE

La vie et l'œuvre de Vercors sont une invitation à envisager l'histoire contemporaine à travers les engagements des intellectuels, et le choix du cadre judiciaire convient au survol d'un siècle fertile en procès idéologiques.

L'affaire Dreyfus (1894-1899-1906)

Le procès pour trahison du capitaine Dreyfus, d'origine juive alsacienne, condamné à la dégradation militaire et à la déportation à vie en Guyane (1894) alors que le véritable traître, Esterhazy, est acquitté, provoque une crise de conscience nationale qui mobilise les intellectuels en deux camps ennemis : les « anti-dreyfusards » (Barrès, Maurras) et les « dreyfusards » : A. France, C. Péguy et É. Zola, qui publie dans *L'Aurore* une lettre ouverte au président de la République (1898). La pression de l'opinion publique amène une révision du procès à Rennes (1899) auquel assiste Proust. Le verdict est confirmé, mais la condamnation ramenée à dix ans de réclusion. Le capitaine Dreyfus ne réintègre l'armée qu'en 1906. La crise politique liée à l'Affaire favorise la formation de coalitions gauche/droite et l'affrontement violent des idéologies dont *À la recherche du temps perdu* se fait l'écho.

L'affaire Sacco et Vanzetti (1921-1927)

Nicolas Sacco et Bartolomeo Vanzetti, immigrés italiens et militants anarchistes, sont victimes d'une erreur judiciaire qui ébranle l'opinion occidentale. Malgré un témoignage qui les innocente du crime qu'on leur impute (vol à main armée), malgré la pression de l'opinion publique et les manifestations d'intellectuels aussi réputés que R. Rolland, A. France, H. Barbusse, ils sont condamnés à mort. Verdict révélateur de la « peur des rouges » qui s'intensifie après la guerre avec la « chasse aux sorcières » (1950-1954) lancée par le sénateur McCarthy, qui veut « purifier » l'industrie du cinéma.

Procès de Riom (février-avril 1942)

La publication clandestine du *Silence de la mer* coïncide avec un procès destiné à juger les hommes politiques et les militaires, accusés par Pétain d'être responsables de la défaite de 1940. Le principal accusé est Léon Blum, disciple de Jaurès, pacifiste comme lui, juif comme Dreyfus et chef du gouvernement de la coalition de gauche (1936). Le procès est vite suspendu, sans conclusion, parce que les débats tournent à la confusion du régime de Vichy, mais les accusés sont maintenus en prison, puis livrés aux Allemands. Blum est déporté à Buchenwald. 1942 est l'année des excès de zèle du régime vichyssois[1]. Sartre élabore son traité existentialiste, *L'Être et le Néant*.

Procès Jeanson (août-septembre 1960)

Les signatures de Vercors et de Sartre se retrouvent, avec 119 autres, sur le « Manifeste des 121 » écrivains et artistes qui déclarent « le droit à l'insoumission dans la guerre d'Algérie » et sou-

---

1. Voir *La Rafle du Vel d'Hiv*, Maurice Rajsfus, « Que sais-je ? », P.U.F., 2002.

tiennent les «porteurs de valises»[1] du réseau Jeanson. Francis Jeanson, philosophe, s'est engagé aux côtés du F.L.N. dans la lutte contre le colonialisme. Le soutien de Sartre au réseau Jeanson marque son entrée dans le militantisme actif. L'année suivante, il préface le livre-phare de l'anticolonialisme, *Les Damnés de la Terre* de Frantz Fanon, (*cf.* p. 171) et arpente le monde avec Simone de Beauvoir à la rencontre des révolutions en train de se faire : Chine, Cuba, Brésil. Jeanson est condamné à dix ans de prison. J. Lindon est plastiqué pour avoir publié (aux Éditions de Minuit) *La Question* d'Henri Alleg, témoignage sur la torture pratiquée par l'armée française. En guise de protestation contre cette même torture, Vercors renvoie sa Légion d'honneur.

Procès de Bobigny (1972)

«Marie-Claire», 17 ans, victime d'un viol, est inculpée pour avoir avorté avec l'aide de sa mère. Ce procès devient l'emblème de la lutte pour le droit des femmes, lutte dans laquelle se retrouvent les militants de la cause algérienne (dont Gisèle Halimi). Le 3 avril 1971, le *Nouvel Observateur* publie un «appel de 343 femmes» qui avouent publiquement avoir avorté et réclament leur inculpation. Figurent sur la liste des féministes affirmées, comme Simone de Beauvoir, l'auteur du *Deuxième Sexe*, mais aussi des actrices, comme Catherine Deneuve. Pour l'opinion conservatrice, l'appel devient celui des «343 salopes» et déclenche la création (clandestine) de l'association «Choisir», animée par les

---

1. Militants français de la cause algérienne. Ils transportaient les fonds du F.L.N.

médecins favorables à la contraception et à l'avortement. Marie-Claire est relaxée. L'effet médiatique est immense. Un an plus tard, le M.L.A.C. (Mouvement pour la liberté de l'avortement et de la contraception) est créé. Giscard d'Estaing, qui succède à Pompidou (1974), nomme Simone Weill qui fait voter la loi autorisant l'I.V.G. Françoise Giroud est nommée secrétaire d'État à la Condition féminine. À l'Ouest, Nixon démissionne après le scandale du Watergate. À l'Est, Soljenitsyne dénonce le goulag[1]. M. Yourcenar entreprend de publier ses mémoires avant de devenir la première femme à entrer à l'Académie française (1980).

Les mutations géopolitiques de la fin du siècle n'ont pas fondamentalement modifié les engagements des intellectuels : en 1995, Bourdieu lance un « appel des intellectuels en soutien aux grévistes » (cheminots). A. Jacquard, signataire en 1982 de l'« appel des cent » sur les dangers du surarmement nucléaire, soutient les chômeurs et les sans-papiers. G. Deleuze a contribué à créer avec Foucault et Vidal-Naquet un groupe d'information sur les prisons. Le 28 février 2001 s'ouvrait à Paris le procès d'un intellectuel, F. X. Verschave, et de son éditeur, L. Beccaria (Les Arènes), accusés par trois chefs d'État africains « d'offense à chef d'État étranger » pour avoir l'un dévoilé, l'autre édité les scandales du néocolonialisme. Le chef d'accusation étant incompatible avec les dispositions de la Convention européenne de sauvegarde des droits de l'homme, les trois chefs d'État furent déboutés.

---

1. *L'Archipel du goulag* est publié à l'étranger, et Soljenitsyne expulsé vers la Suisse.

STRUCTURE DE *ZOO*
OU L'ASSASSIN PHILANTHROPE

L'action commence à Sunset Cottage, résidence de Douglas Templemore, qui demande au Dr Figgins de constater le décès de son enfant et au policier Mimms de l'arrêter pour meurtre. Le cadavre est celui d'un singe, proteste le médecin ; c'est celui de mon fils, assure D. Templemore, non sans préciser que la mère de l'enfant réside au jardin zoologique et que le cadavre est celui d'un « tropi ». Le policier, « désarçonné », procède à l'arrestation (1er tableau).

Au 2e tableau, un premier procès a eu lieu, ajourné. Un second doit s'ouvrir et le ministre de la Justice fait comprendre au juge Draper que l'intérêt de l'Angleterre est en jeu : si les tropis sont des hommes, ils échapperont à la domestication des Australiens, concurrents économiques des Anglais. Mais alors Templemore sera pendu pour meurtre – ce qui contrariera fort Lady Draper, dont la jeune protégée est fiancée du jeune homme.

Interrogés par le procureur Minchett, l'anthropologue Greame et sa fille Sybil déposent sur les circonstances de la découverte des tropis (3e tableau). Le témoignage de Sybil entraîne un flash-back sur les lieux de l'expédition et montre les scientifiques à l'œuvre au moment de leur découverte fantastique (4e tableau). Le compte rendu de Sybil se poursuit dans le cadre du tribunal et permet de présenter les conclusions des observations scientifiques : l'anthropologie ne permet pas de se prononcer sur la nature des tropis. Les dépositions se poursuivent dans un crescendo de plus en plus cocasse ; l'audience est suspendue (5e tableau). Le second acte reprend avec le rappel à la barre des témoins : Kreps déclenche un coup de théâtre en faisant intervenir les Papous dans le débat (6e tableau). Un nouveau flash-back nous transporte au camp qui résonne du « brouhaha de fête » des Papous : ils font rôtir des tropis, au grand désespoir des savants qui ne peuvent reprocher aux Papous leur cannibalisme sans admettre que les tropis sont des hommes. D'autres « cannibales » entrent en scène, à commencer par un certain Vancruysen, dont l'interrogatoire dévoile les stratégies économiques (7e tableau). Les débats glissent vers l'affrontement éthique entre Knaatsch, s'en tenant au constat de l'évolution des espèces, et Eatons, interprétant les observations de Lamarck comme une preuve de la supériorité « naturelle » de l'homme blanc sur le « nègre ». Le tribunal, scandalisé, est de plus en plus perplexe lorsque les jurés demandent à voir les spécimens du *Paranthropus erectus*, objet du débat (8e tableau). Le tribunal se déplace donc de la Cour de justice au jardin zoologique pour examiner les tropis et délibère sans parvenir à une conclusion satisfaisante (9e tableau). Le juge, dans son cabinet, poursuit ses recherches. Son épouse, en lui servant le thé, lui fait remarquer que les tropis, ne portant pas de gris-gris, sont nécessairement des bêtes, et Templemore innocent (10e tableau). Les observations de Lady Draper précipitent le dénouement : de retour au tribunal, le juge Draper rappelle les premiers témoins et dirige lui-même les interrogatoires jusqu'à obtenir enfin une définition de l'homme qui fasse l'unanimité et permette à la fois le sauvetage des tropis et l'acquittement de l'assassin philanthrope (11e tableau).

Vercors
Zoo
ou l'Assassin philanthrope

Comédie judiciaire, zoologique et morale

PERSONNAGES

DOUGLAS TEMPLEMORE
DOCTEUR FIGGINS
INSPECTEUR MIMMS
SYBIL GREAME
SIR ARTHUR DRAPER, juge
LE MINISTRE DU HOME
OFFICE
LADY DRAPER
JAMESON, avocat de
l'accusé
MINCHETT, procureur
CUTHBERT GREAME,
anthropologue[1]
LE PÈRE DILLIGHAN,
bénédictin[2].
PROFESSEUR KREPS,
géologue

BULBROUGH, médecin
légiste
LE PRÉSIDENT DU JURY
VANCRUYSEN, homme
d'affaires
PROFESSEUR KNAATSCH,
paléontologue[3]

Un juré presbytérien[4]
Une petite dame quaker[5]
Un ex-colonel des Indes
Un juré cultivateur
Un gentleman distingué
Une autre dame juré

Greffier, policemen, clercs

Zoo a été créé au festival de Carcassonne, dans la mise en scène de Jean Deschamps, le 24 juin 1963 ; repris en février 1964 à Paris au Théâtre national populaire, Georges Wilson directeur ; repris en novembre 1975 au Théâtre de la Ville dans la mise en scène de Jean Mercure.

---

1. Scientifique spécialisé dans l'étude de l'homme, considéré dans la société.
2. Religieux appartenant à l'ordre de St-Benoît, ordre spécialisé dans les travaux historiques approfondis.
3. Scientifique spécialisé dans l'étude des êtres vivants ayant existé au cours des temps géologiques.

4. Protestant de tendance calviniste dont l'éthique (la morale) joua un rôle important dans l'essor économique des pays capitalistes, selon le sociologue Max Weber.
5. Protestant appartenant au mouvement appelé « la Société des amis », fondé au XVIIe siècle et prêchant le pacifisme et la philanthropie.

NOTE

Le nombre nécessaire des comédiens à engager peut être éventuellement réduit de vingt-trois à quinze. La séquence des scènes permet effectivement à un même acteur de tenir plusieurs rôles successifs – à condition que les membres du Jury (comme ce fut le cas au T.N.P. en 1964) ne soient pas présents sur scène dès le début du procès.

DISPOSITION SCÉNIQUE

Quelques éléments simples représenteront l'essentiel d'une cour de justice, en l'espèce la cour criminelle britannique de Old Bailey, à Londres.

Certains témoignages commencés à la barre du tribunal se poursuivront en «flash-back» sur le devant de la scène, les acteurs étant alors isolés, dans un cercle de lumière, du reste du tribunal. Celui-ci, toutefois, tout en s'effaçant dans la pénombre, devra rester suffisamment visible pour qu'il soit apparent que c'est bien la suite du même témoignage que les juges écoutent.

Quand au contraire, au cours d'autres tableaux, l'action se déroulera hors de la vue du tribunal (à Sunset Cottage, dans le cabinet du juge, au Muséum), le tribunal devra s'effacer tout à fait dans une obscurité complète.

ACTE I
PREMIER TABLEAU

À Sunset Cottage. (Le tribunal est invisible). Lumière
sur un berceau. Douglas Templemore marche de long en large.
Un temps assez long. Sonnerie au-dehors.
Douglas va à la rencontre du visiteur.

DOUGLAS : Le docteur Figgins, je suppose ?

FIGGINS *(vieux et atrabilaire[1])* : Qui voulez-vous que ce soit à cinq heures du matin ?

DOUGLAS : Vous m'excuserez, docteur, mais le cas est assez grave.

FIGGINS : Je l'espère bien ! Se faire tirer du lit à une heure pareille ! Où est notre malade ?

DOUGLAS *(il lui retire son manteau)* : C'est moi qui ai besoin de vous, docteur.

FIGGINS : Mais vous n'êtes pas de mes pratiques[2], monsieur... heu... ?

DOUGLAS : Templemore. Douglas Templemore. Non, en effet.

FIGGINS *(fourrageant dans sa trousse)* : Nouveau dans le pays ?

DOUGLAS : Oui. J'habite Londres ordinairement.

FIGGINS : C'est ça. Nous finirons par être complètement

---

1. De mauvaise humeur.
2. Clients (archaïsme).

envahis par les gens de la ville. Enfin *(il se passe au cou son sté-thoscope)*. Déshabillez-vous.

DOUGLAS : Est-ce bien nécessaire ?

20 FIGGINS : En voilà une question ! Êtes-vous malade ou non ?

DOUGLAS : Je me porte à merveille, docteur.

FIGGINS : Mais alors... Bon Dieu ! que fais-je ici ? À quatre heures du matin ! Et par ce temps de chien encore !

DOUGLAS : Si vous voulez bien approcher, docteur...

25 *Il le conduit au berceau.*

FIGGINS : Ah... C'est donc cet enfant. Parfait, parfait. *(Il se penche.)* Quand est-il né ?

DOUGLAS : Hier après-midi.

FIGGINS *(raide)* : Vous ne m'avez pas appelé pour l'accouche-

30 ment.

DOUGLAS : Il est né en clinique, docteur.

FIGGINS *(radouci)* : C'est son droit, c'est son droit. *(On le voit examiner l'intérieur du berceau, relever la tête, surpris, user du sté-thoscope et se redresser perplexe. Il se tourne vers Douglas et le*

35 *considère un moment d'un air qui exprime à la fois blâme et com-passion.)* Je crains fort, monsieur... hm...

DOUGLAS : Templemore.

FIGGINS : Oui... que vous ne m'ayez fait venir un peu tard.

DOUGLAS *(très calme)* : Je le sais bien, docteur.

40 FIGGINS : Comment ? !

DOUGLAS : Il y a près d'une heure que cet enfant est mort.

FIGGINS : Et c'est seulement maintenant que vous me faites venir ?

DOUGLAS : Vous ne m'avez pas compris, docteur. Je l'ai piqué avec une forte dose de chlorhydrate de strychnine[1].

FIGGINS *(reculant, il renverse une chaise)* : Quoi ?... Mais... Mais... c'est un meurtre !

DOUGLAS : N'en doutez pas.

FIGGINS *(bégayant d'émotion)* : Mais vous... mais mais pourquoi... mais mais comment...

DOUGLAS : Je m'en expliquerai devant les Juges. Pour le moment, veuillez simplement faire le constat, docteur.

FIGGINS *(avec agitation)* : Il faut prévenir la police.

DOUGLAS : C'est déjà fait, docteur.

FIGGINS *(même jeu)* : La prévenir tout de suite. Où est le téléphone ? Comment ? Qu'est-ce qui est déjà fait ?

DOUGLAS : J'attends un inspecteur d'un instant à l'autre.

FIGGINS *(méfiant)* : Je vais l'appeler quand même, si vous permettez.

DOUGLAS : Mais bien sûr, docteur. Par ici. *(Sonnerie. Figgins s'immobilise. Douglas va à la rencontre du visiteur qui entre.)* L'inspecteur Mimms, sans doute.

MIMMS : Du district de Guildford, oui, monsieur.

DOUGLAS : Merci pour votre diligence[2], inspecteur.

MIMMS : Du tout... Ravi de vous connaître, monsieur Templemore, et de pouvoir vous rendre service. Je lis souvent vos articles dans le *Times*.

---

1. Produit toxique ; stimulant à faible dose ; très dangereux, voire mortel, à partir de quelques dizaines de mg.
2. Empressement.

FIGGINS *(d'une voix sifflante)* : Et c'est un journaliste par-dessus le marché!

70 MIMMS *(se retournant)* : Oh, bonjour, docteur. C'est rare de vous voir si tôt levé. *(À Douglas.)* Qu'est-ce qui se passe? On vous a cambriolé?

FIGGINS : Cambriolé mon œil! C'est un infanticide, inspecteur! Cet homme a tué son enfant!

75 MIMMS : Vous, monsieur...?! *(Douglas acquiesce de la tête. Au docteur.)* Infanticide... Vous en êtes certain?

FIGGINS *(imitant une piqûre)* : Tué comme un chien. Strychnine.

MIMMS *(désorienté, à Douglas)* : Est-ce possible! Vraiment,
80 monsieur Templemore, je ne sais... il faut donc... oh là là, quelle histoire!

DOUGLAS : Allons, allons, inspecteur, remettez-vous.

MIMMS : Oui, oui... eh bien, dans ce cas... Puis-je voir la victime? *(Douglas le mène au berceau. L'inspecteur se penche.)* Vous
85 êtes sûr qu'il est tout à fait mort? *(Figgins lève les bras au ciel, avec une interjection étouffée.)* Bon... Bon.... *(À Douglas.)* Et... l'enfant est à vous?

DOUGLAS : C'est mon fils, inspecteur.

MIMMS : Votre femme est là-haut?

90 DOUGLAS : Je ne suis pas marié.

MIMMS : Ah... Mais alors... c'est...

DOUGLAS : Un enfant tout ce qu'il y a de naturel. Enfin, d'une certaine façon.

MIMMS : Alors où est la mère?

DOUGLAS : Au Zoo.

MIMMS : Pardon ?

DOUGLAS : La mère est au jardin zoologique.

MIMMS : Elle est employée là-bas ?

DOUGLAS : Non. Elle est pensionnaire.

MIMMS : Hé ?

DOUGLAS : Quartier des grands anthropoïdes[1].

MIMMS : Hé ?

DOUGLAS : Section du *Paranthropus erectus*[2].

MIMMS : Hé ?

DOUGLAS : Cage numéro 9. Vous la trouverez là. *(Médecin et policier échangent un regard et considèrent Douglas, inquiets sur sa santé d'esprit.)* Si le docteur veut bien examiner l'enfant d'un peu plus près, il relèvera sûrement quelques anomalies remarquables.

Après une seconde d'hésitation, Figgins va au berceau, soulève une couverture et des langes, qu'il rejette.

FIGGINS *(froid et furieux)* : Nom de Dieu.

Il saisit trousse et manteau et va pour sortir. Mimms le retient d'un geste.

MIMMS : Mais qu'est-ce qu'il y a, docteur ?

FIGGINS : Ce n'est pas un garçon, c'est un singe.

Fausse sortie.

---

1. Grands singes, ressemblant à l'homme. Ils marchent en s'appuyant sur la plante des pieds et le dos des mains.
2. Espèce inventée par l'auteur, sur le modèle réel du *Pithecanthropus erectus* (pithécanthrope), mammifère primate fossile, ayant vécu il y a plus de cinq cent mille ans.

DOUGLAS *(doucement)* : En êtes-vous sûr, docteur ?

FIGGINS *(très rouge)* : Comment, si j'en suis sûr... Inspecteur,
120 nous sommes les jouets d'une stupide mystification. Ce damné
journaliste nous a tirés du lit à trois heures du matin pour se
foutre de nous. Vous ferez ce que vous voudrez, mais moi, je
vais me recoucher. Bonsoir.

Fausse sortie.

125 DOUGLAS *(d'un ton sans réplique)* : Permettez, docteur, une
minute. *(Il tend un papier à l'inspecteur.)* Veuillez lire ceci.

MIMMS *(lisant)* : « Je, soussigné docteur Williams, du Collège
royal de gynécologie, déclare avoir ce jour, à 4 heures 30,
délivré d'un enfant mâle en bonne intégrité physique une
130 femme pithécoïde[1] de l'espèce *Paranthropus erectus*, expérimen-
talement inséminée[2] par mes soins, ainsi que six autres
femelles, au Muséum d'histoire naturelle de Sydney (Australie),
des œuvres de M. Douglas Templemore, journaliste, habitant
présentement Sunset Cottage, Guildford, Surrey, Grande-
135 Bretagne. »

*Le docteur, effaré, retourne au berceau, examine l'enfant, se
retourne sur le père, de nouveau sur le bébé, puis encore sur Douglas.*

FIGGINS *(sourdement)* : Jamais entendu parler d'une pareille
histoire !... Qu'est-ce que c'est, ce *Paranthropus* ?

140 *Il prend le certificat des mains de l'inspecteur.*

DOUGLAS : Justement, c'est toute la question. Personne
encore n'en sait rien.

---

1. Présentant les caractéristiques physiques du singe ; adjectif fabriqué sur le modèle d'*anthropoïde*.
2. Fécondée par introduction du sperme dans les voies génitales sans qu'il y ait accouplement.

FIGGINS : Comment, personne n'en sait rien !

DOUGLAS : Une sorte inconnue d'anthropoïde, récemment découverte en Nouvelle-Guinée. On en a ramené une trentaine. Les professeurs sont à l'étude.

Figgins s'est penché à nouveau sur le bébé.

FIGGINS *(avec soulagement)* : C'est quand même un singe, il est quadrumane[1].

DOUGLAS : N'est-ce pas conclure un peu vite ?

FIGGINS : Il n'existe pas d'hommes quadrumanes.

DOUGLAS : Dites que l'on n'en connaissait pas. Jusqu'à présent. Mais supposez, par exemple, qu'un accident de chemin de fer... Tenez, recouvrons-lui les jambes. Là. Un petit mort aux pieds coupés. Seriez-vous aussi catégorique ?

FIGGINS *(après un moment)* : Il a les bras trop longs.

DOUGLAS : Mais le visage ?

FIGGINS *(se débattant)* : Les oreilles sont plantées trop haut.

DOUGLAS : Mais supposez que, dans quelques années, on ait pu lui apprendre à lire, à écrire, à compter...

FIGGINS *(haussant les épaules)* : ... à mettre Londres dans une bouteille. Suppositions stupides puisqu'on n'en saura rien...

DOUGLAS : On le saura, docteur.

FIGGINS *(sarcastique[2])* : Ah ? Et comment ?

DOUGLAS : Il a des frères, docteur.

FIGGINS : Hein ?

---

1. Ses quatre membres sont terminés par une main.
2. Moqueur, avec une nuance de méchanceté.

DOUGLAS : Deux déjà sont nés au Zoo d'autres femelles, trois encore vont bientôt...

FIGGINS *(s'épongeant le front)* : Alors il sera temps...

170   DOUGLAS : De quoi ?

FIGGINS : De... de voir... de savoir... Rien ne presse, non ?

MIMMS : Monsieur Templemore, qu'est-ce que vous attendez de nous, exactement ?

DOUGLAS *(tendant les poignets)* : Que vous fassiez votre
175   métier, inspecteur.

MIMMS : Permettez. Cette petite créature est un singe, le docteur l'a bien dit. Ce n'est pas de mon ressort.

DOUGLAS : J'ai tué mon enfant, inspecteur.

MIMMS : Oui, que vous dites ; mais vous me permettez de
180   penser...

DOUGLAS : Il a été baptisé, inspecteur, déclaré à l'état civil, enregistré à la mairie sous le nom de Garry Edward Templemore. Il ne peut pas maintenant disparaître sans laisser de traces.

185   *Mimms se masse la nuque, fourrage dans ses cheveux.*

MIMMS *(soudain)* : Sous quel nom a-t-on enregistré la mère ?

DOUGLAS : « Femme indigène[1] de Toumata, Nouvelle-Guinée. »

MIMMS *(triomphant)* : Fausse déclaration ! Tout cet état civil
190   est sans valeur. Il est nul et non avenu.

DOUGLAS : Fausse déclaration ?

---

1. Native. Synonyme d'*aborigène* ou *autochtone*.

MIMMS : La mère n'est pas une femme.

DOUGLAS : Cela reste à prouver, précisément.

MIMMS : Mais le... mais ces... parents trapus, là, sont des singes, c'est vous qui l'avez dit.

DOUGLAS : Je n'ai rien dit de tel.

FIGGINS : Alors, bon sang, qu'est-ce qu'ils sont ?

DOUGLAS : Les opinions sont partagées.

MIMMS : Quelles opinions ? Sur quoi, partagées ?

DOUGLAS : Celles des anthropologues sur l'espèce à laquelle appartient le *Paranthropus*. C'est une espèce intermédiaire. Hommes ou singes ? Ils ressemblent aux deux. Aux gorilles, aux orangs-outangs, mais aussi à vous et à moi. De sorte qu'il se pourrait très bien que la mère soit une femme, après tout. À vous, mon cher inspecteur, de faire la preuve du contraire, si vous pouvez. En attendant, son enfant est mon fils, devant Dieu et devant la Loi. Et je l'ai tué.

Il lui tend ses poignets.

MIMMS *(complètement désarçonné, jouant avec les menottes)* : Alors ça... Alors ça...

DOUGLAS *(gentiment)* : Cela vous soulagerait-il de prendre l'avis de vos supérieurs ? Le téléphone est à côté.

MIMMS : Oh oui !... Si vous le permettez, monsieur... *(Sonnerie au-dehors.)* Vous attendez quelqu'un ?

DOUGLAS *(surpris)* : Non, personne. Je vais voir.

Mais une masse de fourrure le bouscule sur le seuil et, sans voir les deux autres, se précipite vers le berceau.

SYBIL : Oh! Je n'en pouvais plus... Douglas, est-ce que le petit... ?

220   DOUGLAS : Sybil, ma chérie, vous m'aviez promis de rester sagement... *(Il la retient.)* N'y allez pas... Tout est fini.

Elle se cache dans ses bras.

MIMMS *(hésitant)* : Seriez-vous, madame, la... la mère... de ce nouveau-né ?

225   SYBIL *(entre rire et sanglot)* : Oh... qui est celui-là ? Me prendrait-il pour une tropiette ?

DOUGLAS *(faisant les présentations)* : Inspecteur Mimms ; docteur Figgins ; Miss Sybil Greame, ma fiancée ; et chef, avec son père, de l'expédition qui a découvert les tropis.

230   FIGGINS : Les tropis ? Qu'est-ce que c'est encore ?

DOUGLAS : Une simple contraction d'anthrope et de pithèque, d'homme et de singe, pour désigner familièrement cette espèce inconnue.

FIGGINS *(à Sybil)* : Elle existe donc vraiment ?

235   SYBIL : Hélas, docteur, elle n'existe que trop.

FIGGINS *(à Douglas)* : Mais alors... si j'ai bien lu ceci... vous allez vous trouver le père de cinq autres petits singes tout pareils ?

DOUGLAS : Vous commencez à comprendre, docteur.

DEUXIÈME TABLEAU

Le cabinet du juge Arthur Draper. (Tribunal invisible.)

L'HUISSIER *(conduisant le ministre)* : Veuillez prendre la peine de vous asseoir, monsieur le ministre.

Exit. Un temps.

DRAPER : Quelle bonne surprise, mon cher ministre.

LE MINISTRE DE LA JUSTICE : Ne m'appelez pas ministre, mon cher juge. Je passais en ami, seulement en ami. Avez-vous passé de bonnes vacances en Dordogne ? J'ai bien regretté de ne pouvoir vous y rejoindre.

DRAPER : Vous n'avez pas perdu grand-chose. On n'y est plus entre soi. L'on rencontrait déjà un peu trop de Français, maintenant toute la population est devenue hollandaise.

LE MINISTRE : Notre pauvre Angleterre perd toutes ses colonies. On ne sait plus où aller.

DRAPER : Peut-être sur Sainte-Hélène ? Eh bien, je vous écoute, mon cher ministre. De quoi s'agit-il ?

LE MINISTRE : Ne m'appelez pas ministre. Vous avez lu les journaux, je suppose, ces dernières semaines ? À propos de cette étrange histoire, vous savez, cette affaire des tropis.

DRAPER : Enfin... je les ai parcourus. Il s'agit de cette nouvelle espèce de singes, n'est-ce pas ?

LE MINISTRE *(vite)* : Ou de sauvages ! Ou de sauvages. Justement, c'est ce qu'on ne sait toujours pas. Vous connaissez les circonstances de ce procès interrompu ?

DRAPER : Je crois me rappeler... que le Jury a refusé de déli-
25 bérer ?

LE MINISTRE : Il a refusé de se prononcer et tout envoyé pro-
mener. Un scandale sans précédent dans toute l'histoire de la
justice britannique !

DRAPER : Au moins si ça pouvait la secouer un peu ! Et...
30 quelles raisons les jurés ont-ils données de ce refus ?

LE MINISTRE : Qu'ils n'y comprenaient rien. Comme si des
jurés devaient absolument comprendre les causes qu'on leur
présente ! Et ceux-là exigeaient qu'on leur mâche la besogne,
qu'on leur dise tout à trac ce qu'il fallait répondre, en d'autres
35 termes quelle était la nature de la petite victime. Comme si on
le savait ! Ils accusent les témoins, les experts, les anthropologues de ne s'être accordés sur rien, pas même la police avec le
procureur, de n'avoir fait que se chamailler : c'est un singe ! –
c'est un homme ! – un singe ! – un petit enfant ! – crétin ! –
40 imbécile ! – triple idiot ! – âne bâté[1] ! Et quand nos gens inter-
rogeaient la Cour, le juge, paraît-il – vous le connaissez ? –,
répondait qu'il ne savait pas non plus. Alors ils en ont eu assez
et ont donné leur langue au chat.

DRAPER *(amusé)* : Voilà qui va faire jaser dans Pimlico[2].

45 LE MINISTRE : Il n'y a pas de quoi rire. Nos magistrats sont
ridiculisés. Cette déplorable affaire provoque dans la presse des
flots de réflexions acides *(sortant des coupures de presse)*...

---

1. Ignorant (mot archaïque).
2. Quartier de Londres.

Regardez ces gros titres : TROPI OR NOT TROPI[1]. On se moque
de nous à New York. Et celui-ci : TROPI SOIT QUI MAL Y PENSE[2].
Les Français n'ironisent pas moins. C'est très désagréable. Je
vous ai fait réunir les coupures les plus importantes.

Il lui tend une grosse enveloppe.

DRAPER *(soupesant le dossier)* : Il faut que je lise tout ça ? Et
l'on viendra me reprocher ensuite de dormir à l'audience !

LE MINISTRE : Justement, vous pourrez vous distraire à les lire
pendant une méchante plaidoirie...

DRAPER : N'empêche, la loi est trop indulgente. Et si l'on
m'en croyait, tout journaliste devrait être tôt ou tard envoyé à
la potence.

LE MINISTRE : L'occasion s'offre à vous.

DRAPER : À moi ?

LE MINISTRE : Ce Templemore est justement un journaliste.

DRAPER : Et alors ?

LE MINISTRE : C'est vous qui présiderez les nouvelles assises.

DRAPER *(après un haut-le-corps)* : Eh bien, merci du cadeau !

LE MINISTRE : C'est le prix, cher ami, de votre compétence.
Nous n'avons pas de juge plus avisé que vous. La justice britannique n'a pas le droit de se laisser bafouer. Si le nouveau jury
devait se démettre et déclarer forfait une seconde fois, j'y lais-
serais des plumes. Et vous aussi.

---

1. Pastiche d'une réplique célèbre (« *To be or not to be...* ») de Hamlet dans le drame éponyme de
Shakespeare.
2. Déformation burlesque de la devise : « Honni soit qui mal y pense » de l'ordre de la Jarretière ins-
titué entre 1346 et 1348 par Édouard III, roi d'Angleterre.

DRAPER : Encore une fois merci pour votre sollicitude.

LE MINISTRE : Depuis longtemps, mon cher, nous sommes sur le même navire. Je vous confie la barre. Je sais qu'elle sera en bonnes mains.

75   DRAPER *(doucement, mais sur ses gardes)* : C'est-à-dire ?

Un temps.

LE MINISTRE : Voyez-vous, Sir Arthur, cette affaire apparaît de jour en jour plus délicate et plus complexe. Disons, plutôt, qu'il faut absolument la simplifier. Car elle a débordé le 80 domaine judiciaire. Pour tout vous dire, eh bien... mm... elle inquiète vivement mon excellent collègue le ministre du Commerce, voilà. Vous le connaissez ?

DRAPER : Non. Qu'a-t-il à voir dans cette histoire de singes ?

LE MINISTRE : Ou de sauvages ! – Ou de sauvages. – 85 Justement, figurez-vous qu'elle le touche de très près. Lui et nos industries. Car ces créatures, voyez-vous, si elles nous ressemblent comme des frères, ressemblent beaucoup aussi, malheureusement, à des gorilles. Mais des gorilles, alors, excessivement adroits. Que l'on a pu dresser à faire beaucoup de choses. 90 Jusqu'à se servir, même, d'outils et de machines. Peut-être devinez-vous... mm... où je veux en venir ?

DRAPER *(toujours sur ses gardes)* : Pas encore tout à fait.

LE MINISTRE : Je ne voudrais pas vous influencer, bien entendu. Il va de soi que la Justice... l'autonomie de votre 95 charge... l'indépendance du juge est sacrée...

DRAPER : Assurément. Mais... ?

LE MINISTRE : Mais... mm... la prospérité industrielle du

royaume britannique ne l'est pas moins, n'est-ce pas ? Surtout en ce moment. Or, s'il ressortait de ce procès, par malheur, voyez-vous... que ces tropis-là sont des singes, nul ne pourrait alors empêcher nos concurrents australiens de s'en servir, là-bas, comme d'une main-d'œuvre, disons, à bon marché. À très bon marché, même. À très très bon marché. Comprenez-vous ? De sorte que nos industries nationales, ici en Angleterre, avec ces hauts salaires que nous imposent nos syndicats...

DRAPER : Je vois. Mais si le Jury décide qu'ils sont des hommes, il s'ensuivra que l'accusé sera déclaré coupable et pendu ?

LE MINISTRE : Tst, tst ! Ne me faites pas dire, mon cher, ce que je n'ai pas dit. Nous bavardons, c'est tout. N'est-ce pas ? Entre amis. Seulement entre amis. Il ne pourrait s'agir... même pas d'un avis, d'un conseil, mais seulement... d'un tour d'horizon ; pour vous... avertir, comme c'est mon devoir, des conséquences extrêmement fâcheuses qu'une... mm... erreur de jugement...

DRAPER *(doucement)* : Un juge britannique, de toute façon, ne saurait mettre en balance même de grands intérêts financiers avec la vie et l'honneur d'un sujet de la Reine.

LE MINISTRE *(vite)* : Bien entendu.

DRAPER : Serait-ce un journaliste.

LE MINISTRE : Bien entendu, bien entendu. Mais remarquez... qu'il peut s'agir tout aussi bien, selon ce qu'ils sont, ces tropis, de la vie et de l'honneur d'un peuple. D'un peuple. C'est la thèse du ministère public. Elle est, comme vous voyez,

125 tout à fait humanitaire. N'est-ce pas ? *(Silence de Draper.)* Tout à fait. De sorte que, de toute façon, il serait éminemment souhaitable… que le Jury ne soit pas… mm… trop influencé dans l'autre sens. Me suis-je bien fait comprendre ?

DRAPER *(froidement)* : Je me le demande. Qu'est-ce que vous 130 voulez dire exactement, mon cher ministre ?

LE MINISTRE : Ne m'appelez pas ministre. Nous sommes en privé. Tout à fait en privé. Je voulais dire… mm… qu'aucune raison d'ordre affectif ne saurait, j'en suis certain… vous inciter vous-même à l'indulgence ?

135 DRAPER *(même ton)* : Je vous comprends de moins en moins.

LE MINISTRE : Je faisais allusion à certaine demoiselle.

DRAPER : Certaine demoiselle ?

LE MINISTRE : La fiancée de ce Templemore. C'est la fille du vieux Cuthbert. Cuthbert Greame, vous savez bien, 140 l'anthropologue.

DRAPER : Eh bien ?

LE MINISTRE : Eh bien, n'est-elle pas la filleule d'une amie de Lady Draper ?

DRAPER : Ah ! C'était donc cela. Alors ne craignez rien. Je res-145 pecte mon épouse et j'ai beaucoup d'affection pour elle ; mais elle est, Dieu merci, restée malgré son âge délicieusement frivole et ne se mêle jamais de mes affaires de magistrat.

LE MINISTRE : Les femmes sont à la fois curieuses et intuitives, deux ingrédients d'un mélange trop souvent détonant…

150 DRAPER : Non, non, je vous assure, rien à craindre de ce côté.

En somme, mon cher ministre, mettons les points sur les « i ». On redoute, en haut lieu, que l'accusé soit disculpé ?

LE MINISTRE : On redoute que les tropis, et la petite victime avec eux, soient tenus pour des animaux.

DRAPER *(doucement)* : N'est-ce pas la même chose ?

LE MINISTRE : Ceci dépasse ma compétence.

Lady Draper vient d'entrer, couverte d'un bibi[1] *inénarrable*[2], *en tulle rose et vert pâle, fleurs de plumes.*

LADY DRAPER : De qui parlez-vous ? De Douglas Templemore et de cette stupide histoire de singes ?

LE MINISTRE : Ou de sauvages, madame, ou de sauvages !

DRAPER *(tombant des nues)* : Pourquoi ? vous connaissez ce garçon ?

LADY DRAPER : Non, je connais Sybil, la nièce de Rosalind. Il est presque cinq heures. Je peux vous emmener ?

DRAPER : Je vous rejoins dans cinq minutes.

LADY DRAPER : Que mijotiez-vous tous les deux ? Vous n'allez pas quand même envoyer ce bon jeune homme à la potence ?

DRAPER *(ébahi)* : Mais, ma chère Elinor...

LADY DRAPER : Le futur gendre, ou presque, de ma meilleure amie !

DRAPER : D'une de vos cent soixante meilleures amies.

LE MINISTRE *(inquiet)* : J'insiste, mon cher juge : n'oubliez pas notre entretien !

---

1. Petit chapeau de femme.
2. Impossible à raconter sans rire.

175   LADY DRAPER : Ni ce que je vous ai dit, mon cher Arthur.

LE MINISTRE : Chacun vous connaît d'ailleurs pour un homme de devoir...

LADY DRAPER : Et moi, je vous connais pour un homme de cœur.

180   *Ils se défient du regard.*

DRAPER : Eh bien... selon toute apparence, me voici dans de beaux draps.

LE MINISTRE : Non, non, l'on vous connaît aussi pour un homme de ressource, Sir Arthur, et je gage que vous saurez 185 obtenir un verdict qui contentera tout le monde. Allons, je dois abréger cette visite amicale. Purement amicale. Lady Draper, je vous présente mes hommages. Vous portez là un ravissant chapeau. Mon cher, courage, bon travail, ne vous en faites pas trop, mais pas trop peu non plus – ni tropi, ha! ha! Ne vous déran- 190 gez pas, bonsoir et à bientôt.

Exit.

LADY DRAPER : Rosalind se fait tant de souci. N'écoutez pas ce nigaud de ministre.

DRAPER : Il s'est montré fort aimable, au contraire. Si l'on 195 m'a fait l'honneur de me désigner pour reprendre ce procès...

LADY DRAPER *(riant)* : Mais, mon pauvre Arthur, il est pour peu de chose dans cette désignation... C'est nous, Rosalind et moi, qui avons persuadé l'attorney général[1].

DRAPER *(interloqué furieux)* : Vous ? Mais qu'est-ce qui vous

---

1. Titre équivalent à celui de ministre de la Justice ou garde des Sceaux.

a pris ? Vraiment, je suis stupéfait ! Jamais vous ne vous étiez mêlée...

LADY DRAPER : Si votre justice se mêle du monde qui est le mien, il faut bien qu'à mon tour je me mêle du vôtre. Je peux rassurer Sybil, n'est-ce pas ? Ce serait si gentil.

DRAPER *(éclatant)* : Ah ! En voilà assez !... Quant à ce godelureau[1]... quoi ? Non seulement ce jeune imbécile assassine son fils...

LADY DRAPER *(haussant les épaules)* : Son fils ! Quelle idée !

DRAPER : ... et de plus, il l'avoue ! Et même, il le proclame ! Ruine, si j'ai bien compris, l'économie de l'Angleterre, secoue le Gouvernement sur ses assises, sape l'ordre social et la tranquillité publique mais encore il va me priver du calme et de la paix dans ma propre maison ? *(lady Draper laisse passer l'orage. Il ramasse ses papiers, passe son pardessus mais se trompe de manche.)* Je vous avertis que je commence à en avoir par-dessus ma perruque, du greluchon[2] de la filleule de votre cinquante-sixième meilleure amie !

Tout en criant, il s'est dirigé vers la sortie.

LADY DRAPER *(avant qu'il passe sur le seuil)* : Arthur, qu'est-ce que je peux dire de rassurant à cette petite ?

DRAPER *(revenant et marchant sur son manteau)* : Qu'elle peut se commander sa toilette de deuil !

LADY DRAPER *(qui n'en croit rien, dans un soupir)* : Oh, *dear...* *Elle sort derrière lui.*

---

1. Jeune homme prétentieux (péjoratif).
2. Petit ami de moralité douteuse (familier).

TROISIÈME TABLEAU

Noir sur l'avant-scène. Lumière sur le tribunal.
Tout le monde est en place, sauf le juge.

L'HUISSIER : Messieurs, la Cour !
Entre Justice Draper, en perruque et en robe.
JUSTICE DRAPER : Nous reprenons l'audience. Nous avons
entendu, tout à l'heure, les premiers témoins de l'accusation.
5 *(Il consulte ses notes.)* Les employés de l'état civil ; le pasteur
Scott, qui a baptisé la victime...

JAMESON *(avocat de la défense)* : ... Non sans hésitation en
voyant son visage, comme la vieille servante du pasteur en a
témoigné...

10 MINCHETT *(procureur de Sa Majesté)* : ... Laquelle avait pourtant dit à l'accusé : « Tout le portrait de son papa ! »

JAMESON : Par pure affabilité.

JUSTICE DRAPER *(avec de petits coups de marteau)* : Messieurs...
Messieurs... Nous vous avons ensuite donné lecture du rapport
15 de l'inspecteur Mimms, ainsi que des attendus du coroner jus-
tifiant les poursuites. *(À Minchett.)* Qui faisons-nous comparaître à présent ?

MINCHETT : Monsieur Cuthbert Greame, Votre Honneur.
Chef de l'expédition qui a découvert les tropis.

20 L'HUISSIER *(sur un signe du juge)* : Monsieur Cuthbert Greame.

Celui-ci est un vieil homme au visage rond et rougeaud. Il vient à la barre et prête serment.

MINCHETT : C'est bien vous, monsieur Greame, qui dirigiez l'expédition ?

GREAME *(timide, piquant des fards, un peu bafouillant)* : Oh, une ex... une expédition... Et puis la diriger, vous savez, moi... en dehors de mes... disons plutôt... enfin si vous voulez.

MINCHETT : Vous partiez à la recherche du *Paranthropus erectus*?

GREAME : Comment ? *(Petit rire.)* Mais non ! Nous ne sommes pas idiots.

MINCHETT : Pourquoi dites-vous cela ?

GREAME : Mais parce qu'il aurait fallu être idiots.

MINCHETT : Pour espérer les découvrir ?

GREAME : Mais non ! Seulement pour y penser.

MINCHETT : Pourtant vous les avez trouvés.

GREAME : Mais non ! Dites que c'est eux qui sont venus se fourrer dans nos pattes. Vous auriez l'idée, vous, de chercher des gens qui n'existent pas ? Pas même une chance sur des milliasses[1].

MINCHETT : Qu'ils existent ?

GREAME : Mais non ! De les trouver. Tous ces lascars-là avaient disparu depuis plus d'un million d'années.

MINCHETT : Tous les tropis ?

---

1. Déformation péjorative de *milliers* par suffixation en *-asse*.

45   GREAME : Mais non ! Le sinanthrope, ou l'australopithèque, l'homme de Java, le zinjanthrope[1], est-ce que je sais, il y en a des tas.

MINCHETT : Alors que cherchiez-vous ?

GREAME : Où ça ?

50   MINCHETT : En Nouvelle-Guinée.

GREAME : Une mandibule. Une mandibule fossile. Moi, je cherche des mandibules. J'ai déjà bien assez de travail avec ça : on a repéré déjà plus de deux cent cinquante sortes de mandibules, la plupart en petits morceaux ; alors vous comprenez...

55 Que voulez-vous que j'en fasse, moi, de fossiles vivants ? Ils nous ont compliqué la tâche, un point c'est tout. D'abord, nous n'avions même pas retrouvé l'endroit.

MINCHETT : Des tropis ?

GREAME : Mais non ! De la mandibule. On s'est trompés de

60 forêt vierge. C'est la faute de Pop. Il ne pensait qu'à ses Papous.

JUSTICE DRAPER : Pop ? – S'il vous plaît, professeur, tâchons de procéder par ordre.

GREAME : Moi, vous savez, je ne suis pas un orateur. Pop, c'est le père Dillighan. Un excellent paléontologue. Sauf qu'il

65 ne dit que des sottises : il croit que l'évolution a un plan et un architecte. Quand on est moine bénédictin, on ne devrait pas s'occuper de sciences exactes. Ou alors laisser les Papous tranquilles. Il les avait tous convertis et ne s'occupait que de leur

---

1. Le sinanthrope est un grand primate dont les restes ont été découverts en Chine ; il est classé dans l'espèce des *Homo erectus*. L'australopithèque est un hominoïde découvert en Afrique du Sud, qui savait tailler la pierre et faire du feu. Le zinjanthrope est un australopithèque découvert en Tanzanie.

catéchisme. Total, on s'est trompés de forêt vierge. Heureusement qu'on a rencontré Kreps, au milieu de ses Négritos[1] : qu'aurait-on fait sans lui ? Bien que, en dehors de ses Négritos, les théories de Kreps, si vous voulez mon avis...

MINCHETT : Épargnez-nous ces incidentes[2], professeur, vous seriez très aimable.

GREAME : Je vous ai déjà dit que je n'étais pas un orateur. Vous feriez mieux de faire venir ma fille. Elle a la langue bien pendue, et l'esprit très organisé, de sorte que, l'organisation, c'est à ma fille qu'on la confiait, vous comprenez, parce que moi j'avais bien assez avec mes mandibules... et puis *(montrant l'accusé)* elle s'est fiancée avec ce Templemore, ce n'est pas ce qu'elle a fait de mieux sans doute mais elle s'en est toquée, de sorte que... enfin, justement... moi vous savez... elle vous expliquera mieux...

... et il quitte la barre.

JUSTICE DRAPER *(à Minchett)* : Qu'en pense la Couronne ? *(Minchett hausse les épaules.)* Veuillez donc appeler Melle Sybil Greame.

L'HUISSIER : Mademoiselle Sybil Greame !

Elle entre, va à la barre, tend la main sur la Bible.

MINCHETT *(doucereux)* : Pourriez-vous, mademoiselle, nous donner la liste des membres de l'expédition ?

SYBIL : Elle sera courte, maître. Mon père, moi-même et le

---

1. Nom donné par les Espagnols aux minorités (Aytas) des Philippines.
2. Propos accessoires, secondaires, sans rapport direct avec l'affaire en cours.

père Dillighan, c'est tout. Et nos porteurs papous, bien entendu.

95   MINCHETT. Et le professeur Kreps ?

SYBIL : Non. Nous l'avons seulement rencontré par hasard. Il allait nous remettre sur la bonne route et nous quitter, quand justement...

MINCHETT : Un instant ; nous y reviendrons. Personne 100 d'autre ?

SYBIL : Personne qui participât aux recherches.

MINCHETT *(toujours affable)* : Mais Douglas Templemore ?

SYBIL : Il nous a rejoints beaucoup plus tard.

MINCHETT : Est-il aussi anthropologue ?

105   SYBIL : Non, il est journaliste.

MINCHETT : Que faisait-il alors dans votre groupe ?

SYBIL : Il rédigeait notre *Journal de bord*.

MINCHETT *(insidieux)* : Ah... Il est sans doute un spécialiste de ces voyages scientifiques ?

110   SYBIL : Non. C'était la première fois.

MINCHETT : Dans ce cas, pourquoi monsieur votre père l'avait-il choisi ?

SYBIL : Ce n'est pas lui qui l'a choisi. C'est moi.

Un temps.

115   MINCHETT : Vous deviez vous marier, n'est-ce pas ?

SYBIL : Oui.

MINCHETT : Étiez-vous fiancée à l'époque ?

SYBIL : Non.

MINCHETT : Pas même officieusement ?

SYBIL : Non.

MINCHETT : Mais vous le connaissiez depuis longtemps ?

SYBIL : Non. Depuis quelques mois.

MINCHETT : Quand avez-vous décidé de l'épouser ? Là-bas, en Nouvelle-Guinée ?

SYBIL : Non. Au retour.

MINCHETT : Quand ont eu lieu vos fiançailles ?

SYBIL *(sentant le piège)* : Ne l'ai-je pas précisé à l'enquête ?

MINCHETT : N'empêche, veuillez nous le dire.

SYBIL : La veille même du meurtre.

MINCHETT *(brusque)* : Ah ! car vous appelez cela un meurtre !

SYBIL *(calme)* : Seulement par commodité.

MINCHETT : Ignoriez-vous que le meurtre serait commis ?

SYBIL : Au contraire. C'est pour cela que je lui ai promis le mariage.

MINCHETT *(brutal)* : Était-ce une récompense ?

SYBIL : C'était une approbation.

MINCHETT : Vous en aviez donc parlé ?

SYBIL : Bien entendu.

MINCHETT : Ah ! Où et quand ?

SYBIL : Là-bas. En Nouvelle-Guinée.

MINCHETT : Il y a donc eu de sa part une longue, une très longue méditation !

SYBIL : Dites plutôt, maître, une longue, très longue hésitation.

MINCHETT : Est-ce vous qui l'avez décidé ?

SYBIL : Non, maître, Dieu sait que non. C'est lui qui m'a convaincue.

MINCHETT : De quoi ?

150 SYBIL : Qu'il n'y avait pas d'autre moyen de tirer au clair toute cette navrante histoire.

MINCHETT : La nature des tropis ?

SYBIL : Oui. Mais maintenant, je me demande si même ainsi... Ah, je crains, j'ai peur qu'il ne se soit sacrifié en vain...

155 MINCHETT : C'est un enfant qu'il a sacrifié !

SYBIL : ... en vain, puisque personne à cette barre, pas même nous, anthropologues, n'a été capable d'apporter la réponse ; et maintenant vous allez recommencer à me questionner, vous aussi, comme le faisait Douglas, et j'avais beau lui expliquer ce

160 qu'est un travail scientifique, il insistait, il insistait, et avec vous ce sera pareil parce que je ne pourrai pas vous faire comprendre ce qui se passait au camp, et nos incertitudes, et bientôt nos angoisses, et lui qui m'interrogeait, m'interrogeait... *(Avec un geste d'impuissance accablée.)* Oh !...

165 *Noir sur le tribunal, qui reste visible dans l'ombre. Lumière sur l'avant-scène.*

QUATRIÈME TABLEAU

Au camp de l'expédition.

SYBIL *(du même ton impatient – elle est au travail)* : Oh!...

DOUGLAS : Qu'est-ce qu'il y a ? Je vous énerve ?

SYBIL : Quand en finirez-vous avec vos questions de collégien ?

DOUGLAS : Vous êtes extraordinaire... C'est vous qui me faites venir, voilà trois jours que je suis auprès de vous, à me croiser les bras, et vous ne me dites rien, ne me racontez rien : je vous sers de joujou ou quoi ?

SYBIL : La vie est lente, Douglas, mais l'espérance est violente[1]...

DOUGLAS : Oh! laissez-là votre Apollinaire et vos espèces de mandibules et occupez-vous un peu de moi, non ? *(Il se claque une joue.)* Ah ces moustiques! Comment fait donc cet animal de Kreps ? Il les ignore comme s'ils n'existaient pas.

Il se claque.

SYBIL : Lui, c'est un dur à cuire.

DOUGLAS : Tandis que moi ?

SYBIL : Vous finirez malheureusement par le devenir, comme tout le monde...

DOUGLAS : Et que fait-il dans ce patelin ? Il cherche aussi des mandibules ?

SYBIL : Non, il étudie la psychologie primitive.

---

1. Citation du « Pont Mirabeau », poème d'Apollinaire.

DOUGLAS : Celle de vos Papous ?

SYBIL : Non, celle des Négritos, qui sont encore à l'âge de pierre.

25   DOUGLAS *(plus près d'elle)* : Et si vous étudiiez la mienne, un peu ?

SYBIL : Sans intérêt. Vous êtes trop civilisé.

DOUGLAS : Je ne le serai pas longtemps si personne ne me parle. Au fond, ce Kreps est un sage.

30   SYBIL : Pourquoi ?

DOUGLAS : Il ne s'est pas, comme moi, laissé prendre dans vos filets. À peine vous a-t-il vue qu'il a fichu le camp. Où est-il allé ?

SYBIL : Dans les falaises. Mais je n'y suis pour rien. C'est à 35 cause des cailloux.

Elle lui montre un seau.

DOUGLAS *(y prenant un caillou)* : Pourquoi ? Qu'est-ce qu'ils ont ?

SYBIL : Vous ne voyez pas comme ils sont taillés ?

40   DOUGLAS : Oh, moi, vous savez... C'est une pointe de flèche ?

SYBIL *(riant)* : Un peu grosse, même pour vous percer le cœur. Non, c'est ce qu'on appelle un coup-de-poing. Pour percer le crâne du gibier. Taillé de façon très grossière. Par des hommes très primitifs.

45   DOUGLAS : Et alors ?

SYBIL : Vous ne savez pas que le camp a été attaqué, avant votre arrivée ? À coups de pierres, justement.

DOUGLAS : Non, j'ignorais. Par qui ?

SYBIL : Il faisait nuit, nous n'avons pas pu voir nos agresseurs. Mais, à juger par ces cailloux, ils doivent être encore plus primitifs que les Négritos de Kreps. Tout excité, hier il est parti à leur recherche et voilà.

DOUGLAS : Dites donc, il n'a pas peur de se faire massacrer ?

SYBIL : Oh, il a la manière.

DOUGLAS : Et si c'étaient des gorilles, des fois ?

SYBIL *(riant)* : Les gorilles ne taillent pas la pierre, espèce d'analphabète !

DOUGLAS *(vexé)* : À qui la faute ? Personne ne m'explique.

Le père Dillighan entre et passe devant eux.

POP : Hello !

SYBIL ET DOUGLAS : Hello.

Ils le regardent sortir.

DOUGLAS : Tenez, même ce bénédictin, pas moyen de lui arracher un mot.

SYBIL : Nous n'aimons pas parler boutique, en dehors des heures de travail.

Pop revient un instant pour emporter le seau et repart.

DOUGLAS : Que fait ce moine parmi vous ? C'est pour dire la messe ?

SYBIL : Pop est le meilleur ami de mon père. Et son plus redoutable adversaire.

DOUGLAS : Ah ? Au catch ou au bridge ?

SYBIL : En histoire naturelle. Mais vous n'y entendez rien.

DOUGLAS : Si, si, expliquez-moi.

75   *Il se rapproche d'elle.*

SYBIL *(soupirant)* : Pop croit que l'évolution, du coquillage à l'homme, obéit à un plan divin. Mon père est un matérialiste qui ne croit qu'aux circonstances, à une suite de hasards.

DOUGLAS : C'est un hasard que l'homme descend du singe ?

80   SYBIL *(riant)* : Mais il n'en descend pas, espèce de journaliste !

DOUGLAS : Ah non ?

SYBIL : Comment pouvez-vous avoir encore ces idées de bonnes femmes !

85   DOUGLAS : Nous descendons de qui, alors ?

SYBIL : Jamais entendu parler de l'anthropopithèque[1] ?

DOUGLAS : Bien sûr, comme tout le monde. Et puis ?

SYBIL : Comment, et puis ?

DOUGLAS : Il descend de qui, celui-là ?

90   SYBIL : De la même branche que nous, pardi.

DOUGLAS : Une branche ? Quelle branche ?

SYBIL : Celle du tronc commun qui s'est partagé en deux et qui a donné tous les singes d'un côté et tous les hommes de l'autre.

95   DOUGLAS : Quelle chance !

SYBIL : Quoi ?

DOUGLAS : Que, vous et moi, nous soyons descendus tous deux du bon côté !

---

1. Primate fossile interprété comme intermédiaire entre le singe (*pithêkos*) et l'homme (*anthropos*).

Il va pour l'enlacer, mais ils se séparent en voyant paraître Pop et Greame.

POP *(à Sybil)* : Vous donniez à notre journaliste un cours d'anthropologie ?

SYBIL : C'est un pauvre attardé, il faut tout lui apprendre. Par exemple que les gorilles ne taillent pas la pierre.

DOUGLAS *(vexé)* : Quoi, ils auraient bien pu ramasser des pierres taillées par vos Négritos, non ?

GREAME : Absurde. D'abord, les singes n'attaquent pas l'homme...

DOUGLAS : J'ai lu pourtant que les cynocéphales[1]...

GREAME : Oui, attaquent parfois des hommes isolés. Mais pas un camp comme celui-ci. Et jamais hors des bois. Or, nous sommes sur le rocher. Ça ne tient pas debout !

POP *(un peu condescendant)* : Il vous faudra, jeune homme, apprendre votre catéchisme. Oh, mais voici notre Kreps... Alors ? Quelles nouvelles de l'ennemi ?

Entre Kreps, l'air assez fatigué. Il se laisse tomber sur un transat et pose un paquet près de lui.

KREPS *(très grand, fort accent germanique)* : Ouf... L'ennemi ? Disparu, envolé. Quand même ça valait la peine. C'est volcanique à ne pas croire, un peu plus haut. Rien que lave et basalte. Pas une herbe, pas un arbre. Mais ça grouille comme sur Piccadilly[2] : l'endroit est pourri de singes.

---

1. Singes au museau allongé comme celui d'un chien (*cyno*, du grec *kunos* : « chien »).
2. Quartier de Londres, célèbre pour sa vie nocturne.

POP *(stupéfait)* : Des singes ? Sur du basalte ?

KREPS : C'est vrai que c'est curieux. Ce sont des singes tro-
125 glodytes[1]. Ils vivent dans les trous des falaises.

Greame et Pop paraissent aussi vexés qu'étonnés.

DOUGLAS *(sifflotant et goguenard)* : Hû, hi-hû... hû, hi-hû...

SYBIL *(l'embrasse sur les deux joues)* : Un jour, la vérité sortira
de la bouche des ignorants !

130 GREAME *(ulcéré et bourru, à Kreps)* : Bon, mais c'est pas tout
ça, on perd son temps ici. Quand nous conduisez-vous sur nos
anciennes fouilles ?

KREPS *(avec un sourire d'ange, se renverse sur le transat)* : Pas de
sitôt, mes agneaux.

135 GREAME *(rouge)* : Vous ne prétendez pas... que nous allons
rester cloués ici ? Vous nous aviez promis que dès votre retour...

KREPS *(espiègle et balançant sa jambe)* : Oh ! moi je veux bien,
j'ai vu ce que je voulais voir. *(À Sybil.)* Mais je doute que votre
père décide de quitter ces lieux.

140 GREAME : Moi ? Eh bien, par exemple...

Mais Sybil lui met une main sur la manche.

SYBIL *(à Kreps)* : Vous, vous avez déniché quelque chose...
(Kreps sourit sans rien dire.) Ne nous faites pas languir ! Allez,
dites-nous ce que c'est !

145 KREPS *(prenant le paquet et l'ouvrant)* : Une calotte[2] crânienne.

SYBIL *(excitée)* : Où l'avez-vous trouvée ?

---

1. Habitants d'une caverne ou d'une grotte naturelle.
2. Partie supérieure de la boîte cranienne.

Elle veut la lui prendre.

KREPS *(sans s'en dessaisir)* : Minute!... Là-haut, dans un lapilli[1] du pléistocène[2] Ou bien je me trompe fort, ou bien c'est une calotte plus hominienne[3] que celle du sinanthrope.

DOUGLAS *(à Sybil)* : Oh, traduisez! Expliquez-moi!

SYBIL *(impatiente)* : Une seconde, bébé. Un crâne d'un million d'années, ou à peu près. *(À Kreps.)* Qu'est-ce qui vous fait dire ça?

KREPS : Regardez-moi ce pariétal[4]. Enfin, ce qui en reste.

Tous se penchent sur le crâne. Un temps.

GREAME *(dans une colère soudaine)* : Farceur! vieux salopard!

KREPS : Non, mais dites donc! qu'est-ce qui vous prend?

GREAME *(postillonnant de fureur)* : Je... je... je... ne permettrai pas... ainsi vous pay... payer ma tête! Si vous croyez... sale petit voyou!... Vous n'avez pas honte!... Oser plaisanter avec...

Dès le début de cette sortie, Sybil a pris le crâne des mains de Kreps. Elle l'examine, et se fige comme du marbre, tandis que Pop regarde par-dessus son épaule.

POP *(éclatant à son tour)* : Oooh!! *(Il se met à sauter autour de Sybil, comme une petite fille qui saute à la corde.)* Oh! Oh! Oh! Oh! Oh! Oh! Oh!...

DOUGLAS : Mais qu'est-ce qui se passe? Mais qu'est-ce qui vous arrive?

---

1. Petite pierre projetée par un volcan en éruption.
2. Début de l'ère quaternaire : époque glacière correspondant au paléolithique, c'est-à-dire à l'apparition des premières civilisations humaines.
3. Qui appartient à l'espèce humaine.
4. Os plat constituant la partie supérieure de la voûte du crâne.

170   *Personne ne lui répond. Kreps s'est levé, il a repris le crâne, sorti un canif et commence de gratter l'os.*

KREPS : *Gottverdammte Schweinerei*[1] !!

DOUGLAS *(à Sybil, toujours figée)* : Je vous en prie !! Enfin, répondez-moi !!

175   SYBIL *(dont la voix tremble d'émotion)* : C'est un crâne d'un million d'années. Seulement, il est tout récent. Il a dix ou vingt ans, pas plus.

DOUGLAS : Et alors ? Qu'est-ce que ça veut dire ?

SYBIL *(de la même voix tremblante)* : Ça veut dire... ça veut
180 dire... que ce n'est pas un crâne fossile et qu'il y a, pas loin d'ici, des pithécanthropes d'il y a un million d'années... mais... VIVANTS !!

La lumière commence à tomber.

POP : Les cailloux ! les cailloux ! les cailloux !

185   *Il sort en courant.*

---

1. Saloperie de cochonnerie.

CINQUIÈME TABLEAU

Noir sur le camp. Lumière sur le tribunal.
Sybil est toujours à la barre.

MINCHETT : Et ces pierres étaient toutes taillées, n'est-ce pas ?

SYBIL *(soupirant)* : Oui, maître, toutes. Très grossièrement, mais elles l'étaient.

MINCHETT : Parfait. De plus, n'a-t-on pas observé plus tard que ces tropis savent faire le feu ?

SYBIL *(vite)* : Pas tous. Cela dépend.

MINCHETT : Que voulez-vous dire ?

SYBIL : Que très peu d'entre eux en sont capables.

MINCHETT : Comment le savez-vous ?

SYBIL : Kreps n'a pas mis longtemps à les apprivoiser avec du lard, ils en sont très friands. La plupart alors l'ont suivi jusqu'au camp, comme des moineaux derrière un cheval, avec le même espoir de pitance. Et, une fois chez nous, ceux-là plus jamais nous ne les avons vus faire le moindre feu.

JUSTICE DRAPER : Alors qui en faisait, mademoiselle ?

SYBIL : Ceux qui, malgré l'appât du lard, n'ont pas voulu quitter leur grotte.

JUSTICE DRAPER : Ah, pourquoi ? Par fierté ?

SYBIL : Je ne sais, *my lord*. C'est ce que pensait Kreps. Il disait en riant que nous avions écumé tous les larbins.

MINCHETT : Et donc les autres faisaient du feu, c'est tout ce qui nous intéresse. À quel usage ? Pour cuire leur gibier ?

SYBIL : Plutôt pour le fumer.

25   MINCHETT *(triomphant, aux jurés)* : C'est-à-dire pour faire des conserves !

SYBIL : Non, pas du tout.

MINCHETT : Alors pourquoi ?

SYBIL : Pour rien.

30   MINCHETT : Comment, pour rien ?

SYBIL : Il faut plusieurs semaines pour fumer un cuissot. Or, ils le dévoraient le jour même, parfois moins d'une heure après.

JUSTICE DRAPER : Mais cuit ?

SYBIL : Non, cru. Comme tous les carnivores.

35   JUSTICE DRAPER : À quoi cela leur servait-il alors de le passer au feu ?

SYBIL : Nous l'ignorons, milord. Sans doute est-ce chez eux une pratique héréditaire, une sorte d'instinct, à la manière du chien qui enterre son os, même s'il est en caoutchouc, pour en
40 faire lui aussi des conserves, monsieur le procureur.

MINCHETT : N'empêche, impossible d'hésiter : des singes qui savent tailler la pierre, faire du feu et fumer la viande ne sont pas des singes, mais des hommes. Je vous remercie.

Il se rassoit. Jameson se lève.

45   JAMESON : Mademoiselle. On a trouvé naguère, près de Pékin, des ossements fossiles.

SYBIL : Oui, ceux du sinanthrope.

JAMESON : A-t-on pu le classer dans l'espèce humaine ?

SYBIL : Non, absolument pas.

JAMESON : Or, ne savait-il pas tailler la pierre et faire le feu ?

SYBIL : Effectivement.

GREAME *(de sa place)* : Ah non... rien n'est moins sûr...

JAMESON : Qu'est-ce qui n'est pas sûr ?

SYBIL : Oui, certains prétendent que les traces de feu, les pierres que l'on a trouvées près des ossements peuvent signifier aussi que des hommes existaient déjà, qui ont tué le singe avec ces pierres et l'ont fait cuire avec ce feu. Mais nous n'en savons rien.

MINCHETT : Cependant, mademoiselle...

DRAPER : Maître, le témoin est à la défense.

JAMESON *(aimable)* : Parlez, mon cher confrère. À charge de revanche.

MINCHETT : Tout le monde sait que c'est le propre de l'homme de savoir faire le feu, non ?

SYBIL : On l'a longtemps admis, c'est vrai. Mais c'était en vertu d'un raisonnement faux.

MINCHETT : Comment ! Mais puisque l'homme est seul à pouvoir faire du feu, qui fait le feu est donc un homme !

SYBIL : Il n'y a pas cent ans, maître, vous auriez dit encore : l'oiseau est seul à pouvoir voler, qui s'envole est donc un oiseau... Dix ans plus tard ce n'était plus vrai. Non, voyez-vous, déjà le sinanthrope a fait douter qu'il fallût être un homme pour savoir faire le feu, et le tropi, loin d'affaiblir ce doute, l'accroît, tout au contraire.

JAMESON : Car il est démontré, n'est-ce pas, mademoiselle,
75 que la constitution des tropis est absolument simiesque[1].

SYBIL *(après un regard à Douglas)* : Absolument, c'est peut-
être trop dire... Très proche, oui sûrement.

JAMESON : Mais n'ont-ils pas des bras démesurés *(il imite ce
qu'il dit)* avec des mains qui pendent tout près de terre ?

80 SYBIL : Oui : leurs jambes sont très courtes.

MINCHETT : Mais ils se tiennent droits, comme nous !

SYBIL : Ils se tiennent souvent droits.

JAMESON : Mais courbés quand ils marchent, en s'appuyant
sur le dos des doigts.

85 SYBIL : Seulement quand ils courent.

MINCHETT : Et leur visage est nu, comme celui des
humains !

SYBIL : Mais il est écrasé comme celui des gorilles.

JUSTICE DRAPER : C'est singulier, mademoiselle. Est-il réelle-
90 ment impossible qu'à ces questions anatomiques il soit
répondu, une fois en passant, autre chose que ces « oui, mais » ?

SYBIL : Comment faire autrement, *my lord* ? OUI les mâles,
par exemple, sont épais et poilus comme des ours ! MAIS les
femelles sont assez gracieuses. OUI, elles ont, quand elles sont
95 très jeunes, une gorge très féminine ! MAIS le front est bas et
fuyant, la mâchoire puissante, armée de canines impression-
nantes...

JAMESON : Vision charmante – n'est-ce pas, monsieur le pro-

---

1. Qui ressemble ou appartient au singe.

cureur ? Ainsi, à supposer que tombe dans votre lit une de ces tropiettes, pour peu que vous lui cachiez la tête sous l'oreiller, les pieds sous l'édredon ainsi que ses bras trop longs et ses jambes trop courtes, et vous tiendrez dans vos bras – n'est-ce pas, messieurs du Jury ? – une délicieuse créature humaine. *(À Sybil.)* Je vous remercie, mademoiselle.

Il se rassoit. Sybil quitte la barre.

JUSTICE DRAPER : Désirez-vous, monsieur le procureur, entendre encore d'autres experts ?

MINCHETT : Si vous le permettez, Votre Honneur, il me paraît indispensable de faire comparaître d'abord le docteur Figgins, qui a vu le premier la petite victime.

JUSTICE DRAPER : Très bien. *(À l'huissier.)* Veuillez donc appeler le docteur Figgins.

L'HUISSIER : Docteur Figgins !

Figgins entre et prête serment.

MINCHETT : Docteur Figgins, c'est bien vous qui avez constaté, au domicile de l'accusé, le décès d'un nouveau-né du sexe masculin ?

FIGGINS *(volubile)* : Bien sûr ! J'aurais voulu vous y voir. On me réveille en sursaut à quatre heures du matin...

JUSTICE DRAPER : Cinq heures.

FIGGINS : ... à cinq heures du matin, j'avais déjà veillé une moitié de la nuit pour une coqueluche et un accouchement, un métier de fou, *my lord* ; de plus je souffre d'insomnies et c'est à peine si je venais de m'endormir...

JUSTICE DRAPER : Docteur, docteur, vous êtes un homme très

occupé, nous le sommes aussi ; voulez-vous permettre à la Couronne de vous poser quelques questions précises auxquelles vous répondrez de même ?

FIGGINS *(vexé)* : Bon.

130 MINCHETT : Vous avez trouvé l'enfant dans son berceau, n'est-ce pas ?

FIGGINS : Oui.

MINCHETT : Vous l'avez observé un moment pour vous assurer du décès ?

135 FIGGINS : Oui.

MINCHETT : Puis vous vous êtes mis en devoir d'alerter la police ?

FIGGINS : Oui.

MINCHETT : Et vous avez refusé le permis d'inhumer, l'enfant

140 ayant été piqué à la strychnine par son père ?

FIGGINS : Oui.

MINCHETT : En un mot, vous avez agi comme il est du devoir d'un médecin en présence d'un infanticide.

FIGGINS : Oui.

145 MINCHETT *(satisfait)* : Je vous remercie, docteur. *(À Jameson.)* Le témoin est à vous.

Il s'assoit, Jameson se lève.

JAMESON : Docteur Figgins, vous avez bien examiné de près le petit cadavre ?

150 FIGGINS : Oui.

JAMESON : Et déclaré ensuite à l'inspecteur : « Ce n'est pas un enfant, c'est un singe… » ?

FIGGINS : Oui.

JAMESON : Pour quelles raisons, docteur ?

FIGGINS : Certains caractères évidents comme la dispropor-
tion des membres, l'architecture du pied, ou plutôt des mains
postérieures, dont le pouce s'oppose aux autres doigts, l'absence
de courbure lombaire, certains détails de la morphologie de la
face et du crâne…

MINCHETT *(l'interrompant)* : N'aviez-vous pas considéré ses
oreilles, ses yeux, quand vous êtes arrivé ?

JUSTICE DRAPER : Encore une fois, maître, n'interrompez pas.

JAMESON *(à Minchett, courtois)* : Je vous en prie.

MINCHETT : Et vous n'aviez, à ce moment, rien remarqué de
ce que vous venez de nous dire ?

FIGGINS *(piqué)* : Bien sûr que non, je n'avais rien remarqué !
Je ne me doutais de rien, n'est-ce pas ? On me réveille en sursaut à quatre… cinq heures du matin, on me montre un enfant
au berceau, une petite tête de nouveau-né encore toute chif-
fonnée, toute fripée… On pouvait s'y tromper, j'imagine ?

JAMESON : Par conséquent, vous maintenez qu'il s'agissait
seulement d'une mauvaise plaisanterie ?

FIGGINS : Non, je ne dis pas cela.

JAMESON : Que dites-vous, alors ?

FIGGINS : Je dis que c'était un singe, rien de plus.

JAMESON : Mais vous le maintenez sans réserve ?

FIGGINS : Un singe, un point c'est tout.

JAMESON : De sorte que, malgré l'attestation du professeur
Williams, attribuant la paternité de la victime à une insémina-

180 tion humaine, vous émettez sur ce point les doutes les plus sérieux ?

FIGGINS : Oui. Oh ! j'en doute très fortement !

JAMESON *(souriant)* : J'ai terminé.

Il s'assoit, Minchett se lève.

185 MINCHETT : Dans ces conditions, comment expliquez-vous, docteur, une bien étrange contradiction ?

FIGGINS : Quelle contradiction ?

MINCHETT : Vous arriverait-il, par hasard, de dresser des constats de décès pour des animaux ?

190 FIGGINS : Non.

MINCHETT : Cependant, vous en avez dressé un.

FIGGINS : C'est l'inspecteur qui l'a exigé.

MINCHETT : Lequel, par conséquent, ne pensait pas comme vous que la petite victime fût un singe ?

195 FIGGINS : Il ne pensait rien du tout, l'inspecteur ! Il avait tenté d'expliquer la chose par téléphone, au superintendant, lequel bien sûr n'y pigeait rien ! « Je ne comprends pas un mot de votre histoire. Est-ce qu'il y a un acte de naissance ? – Oui. – Eh bien alors, que le toubib rédige un acte de décès et qu'il 200 refuse le permis d'inhumer ! » Que vouliez-vous que je fisse, moi ? Que je me rebiffe ?

MINCHETT : Eh bien, mais tout cela est parfaitement clair ! Vous émettez des doutes tout personnels sur la constitution de la victime. Bon, c'est votre droit. Mais vous n'avez aucune rai-205 son de lui dénier son existence légale. C'est bien cela ?

FIGGINS : Si vous voulez.

MINCHETT : En d'autres termes, vous admettez qu'au regard de la loi, la victime était sans conteste le fils de l'accusé ?

FIGGINS : Si vous voulez.

MINCHETT : Il y a donc bien eu infanticide, en bonne et due forme. Je vous remercie.

Il s'assoit, Jameson se lève.

JAMESON : Docteur Figgins, pensez-vous que dans une affaire aussi sérieuse la légalité formelle doive l'emporter sur la zoologie ?

MINCHETT : Opposition ! La défense invite le témoin à donner son avis sur le fond.

JAMESON : Nous poserons donc la question autrement. Docteur, si l'on vous eût fait venir non pour constater le décès de ce petit être, mais sa naissance, auriez-vous été déclarer cette naissance à la mairie ?

FIGGINS : Assurément non.

JAMESON : Même si l'on vous en eût instamment pressé ?

FIGGINS : Pas davantage.

JAMESON : S'il n'avait tenu qu'à vous, vous auriez donc refusé à la victime toute existence légale ?

FIGGINS : Exactement.

JAMESON : Comme vous l'auriez refusée à un chien ou à un chat ?

FIGGINS : Exactement.

JAMESON : Je vous remercie.

Il s'assoit. Un temps.

JUSTICE DRAPER : En résumé, docteur, les circonstances vous

ont amené à dresser un acte de décès pour une créature à
235 laquelle vous n'auriez jamais accordé un acte de naissance ?

Figgins lève les mains et Draper fait comme lui.

MINCHETT : *My lord,* pouvons-nous entendre le médecin-
légiste ?

JUSTICE DRAPER : Assurément. *(À l'huissier.)* Faites entrer le
240 docteur Bulbrough. *(À Figgins.)* Nous vous remercions, docteur.

Figgins sort.

L'HUISSIER : Docteur Bulbrough !

Un vieil homme, l'air entêté, vient à la barre et prête serment.

MINCHETT : Docteur Bulbrough, vous avez pratiqué, n'est-ce
245 pas, l'autopsie de la petite victime, en présence du docteur
Figgins ?

BULBROUGH : En effet.

MINCHETT : Et il vous a sans doute fait part, pendant l'opération, de certaines remarques sur sa constitution ?

250 BULBROUGH : Bien sûr.

MINCHETT : Avez-vous conclu comme lui ?

BULBROUGH : Non. Sinon, il n'y aurait pas eu de procès.

MINCHETT *(ravi)* : C'est ce que je voulais vous faire dire.
Vous n'avez donc pas retenu ces remarques ?

255 BULBROUGH : Si. Mais elles ne veulent rien dire. Beaucoup
d'enfants, à la naissance, présentent des malformations.

MINCHETT : Au cours de votre carrière, vous en aviez déjà
relevé de semblables ?

BULBROUGH : Les malformations à la naissance sont rare-
260 ment semblables. Mais elles sont plus fréquentes qu'on le croit.

Et au cours de ma vie déjà longue, je n'ai que trop constaté d'infanticides sur des enfants plus ou moins abusivement prétendus monstrueux.

MINCHETT : À votre avis, est-ce le cas dans l'affaire qui nous occupe ?

BULBROUGH : Ce pourrait être le cas.

MINCHETT *(ravi)* : Vous avez donc conclu que la victime était un petit enfant.

BULBROUGH : Non.

MINCHETT *(interloqué)* : Comment, non ? Mais alors qu'avez-vous conclu ?

BULBROUGH : Que la victime était morte à la suite d'une dose mortelle de chlorhydrate de strychnine.

MINCHETT : Mais... si ce n'était pas un singe, c'était donc un enfant ! Vous avez bien conclu dans un sens ou dans l'autre !

BULBROUGH : Je n'avais rien à conclure de ce genre.

MINCHETT : Par exemple ! – Pourquoi ?

BULBROUGH : Le rôle du médecin-légiste n'est pas de se prononcer sur une question semblable.

MINCHETT *(brandissant un papier)* : Pourtant vous avez transmis le résultat de l'autopsie au tribunal de police en vue de constituer le dossier pour meurtre ?

BULBROUGH : Bien entendu.

MINCHETT : Mais il ne peut y avoir de meurtre sur un singe ! Il fallait bien que vous eussiez conclu qu'il s'agissait d'une victime humaine !

BULBROUGH : Non. Moi, je n'ai à répondre que sur ce qu'on

me demande : la cause de la mort, un point c'est tout. Le reste regardait la police, pas moi.

290   MINCHETT : C'est bien la première fois que je m'entends répondre une chose pareille !

BULBROUGH : C'est bien aussi la première fois que l'on se trouve devant un cas pareil.

LE PRÉSIDENT DU JURY *(se levant)* : Puis-je dire un mot, *my*
295   *lord* ?

JUSTICE DRAPER : Certainement.

LE PRÉSIDENT DU JURY : Le témoin veut-il dire que lui, médecin-légiste de son état, il ne sait pas faire la différence entre un homme et un singe ?

300   BULBROUGH *(agressif)* : Et lui ? Il saurait nous le dire, ce que c'est qu'un homme, simplement ?

LE PRÉSIDENT DU JURY : Comment, ce que… ? Évidemment ! Eh bien mais, un homme… c'est… quoi…

BULBROUGH *(railleur)* : Alors ? Monsieur se décide ?

305   LE PRÉSIDENT DU JURY : Bon, si je ne me rappelle plus, je n'aurai qu'à regarder dans l'encyclopédie.

BULBROUGH : Eh bien, qu'il aille donc y voir.

JAMESON *(ouvrant un gros volume)* : Nous l'avons déjà fait, messieurs. Voici la définition : « Homme : mammifère
310   bimane à station droite, doué d'intelligence et de langage articulé. »

LE PRÉSIDENT DU JURY *(ironique)* : Vous voyez, c'était pas difficile.

BULBROUGH : Et alors ?

LE PRÉSIDENT DU JURY : Alors quoi ?

BULBROUGH : Qu'est-ce que ça nous apprend ? Monsieur voudrait que je lui dise, à l'âge de ce p'tiot, si plus tard il eût été doué d'intelligence et de langage articulé ? Ou même s'il aurait pu marcher debout ?

LE PRÉSIDENT DU JURY : Mais justement, il ne l'aurait pas pu, puisqu'il n'avait pas des pieds, mais des mains.

BULBROUGH : Un bon orthopédiste aurait facilement corrigé ça.

JAMESON : Ce n'était pas une malformation fortuite, docteur, mais une constitution héréditaire.

BULBROUGH : Et après ? *(Regardant Douglas.)* Le père paraît normalement constitué, mais on ne m'a pas fait voir le reste de la famille.

JAMESON : Cependant, le docteur Figgins s'est montré, lui, absolument affirmatif pour nous dire que c'était un singe.

BULBROUGH : Quatre cents ans plus tôt, il aurait peut-être classé les Indiens aussi parmi les singes. De l'autre côté de l'Océan, on prétendait que ces bipèdes ne pouvaient pas historiquement descendre d'Adam et Ève. On les a donc appelés « chimpanzés sans queue », et l'on en a fait grand commerce.

JUSTICE DRAPER : Mais depuis quatre siècles, docteur, la science a fait des proprès...

BULBROUGH *(avec une moue)* : Oh, la science, *my lord...* elle n'a pas découvert grand-chose de bien utile. L'aspirine, peut-être...

JUSTICE DRAPER *(un peu sec)* : Je regrette votre entêtement, docteur, mais je ne peux pas vous obliger, bien entendu. Vous

pouvez disposer. *(Bulbrough quitte la barre.)* Il y a décidément beaucoup d'entêtement dans cette affaire ; et la Cour va finir par perdre patience. L'accusé ne dit rien, les médecins se récu-
345 sent, même les anthropologues prétendent qu'ils ne savent pas. Qu'est-ce que c'est que cette histoire ? Accusé, levez-vous. Dites-moi, monsieur Templemore : est-ce que vous désirez absolument être pendu ?

DOUGLAS *(debout)* : Non, pas le moins du monde, *my lord.*
350 JUSTICE DRAPER : Vous faites cependant tout ce qu'il faut pour l'être, je vous en avertis. Vos silences, toutes ces réponses sans queue ni tête commencent à nous échauffer les oreilles. Vous voulez absolument être jugé, n'est-ce pas ?

DOUGLAS : Oui, *my lord.*
355 JUSTICE DRAPER : Pour infanticide ?

DOUGLAS : Non, *my lord.*

JUSTICE DRAPER *(frappant du poing)* : Voilà ! Vous recommencez ! Monsieur Templemore, qu'est-ce que vous voulez nous faire comprendre ? Vous avez amené votre soi-disant fils
360 au pasteur pour le faire baptiser. Ensuite à la mairie vous l'avez déclaré. Ensuite vous l'avez piqué. Ensuite vous avez contraint le docteur Figgins, qui ne le voulait pas, et l'inspecteur Mimms, qui ne le voulait pas davantage, à vous faire inculper pour meurtre. Bon, voilà, vous l'êtes, nous vous jugeons. Et mainte-
365 nant vous venez nous dire : « C'était seulement un petit singe » ! De qui vous moquez-vous ?

DOUGLAS : Je n'ai rien dit de tel, *my lord.* Je ne plaide pas du tout que c'était un singe.

JUSTICE DRAPER : Vous plaidez que c'était un enfant ?

DOUGLAS : Non plus. Je ne plaide, *my lord*, ni l'un ni l'autre.

JUSTICE DRAPER *(à Jameson)* : Mais vous, maître, bon sang ! vous nous aviez bien dit que vous plaideriez « innocent » ?

JAMESON : Innocent, Votre Honneur.

JUSTICE DRAPER : Donc, que la victime n'était pas un enfant, mais un singe ?

JAMESON : Pas du tout, Votre Honneur.

JUSTICE DRAPER *(au bord de la colère)* : Maître, je vous avertis que, si vous vous mettez en tête, vous aussi, de trop dérouter la Cour et le Jury...

JAMESON : Nous ne voulons pas le moins du monde, Votre Honneur, dérouter qui que ce soit. Il peut nous arriver de plaider, c'est vrai, que la petite victime était un singe, mais c'est seulement quand l'accusation prétend nous faire admettre que c'était un enfant pour des raisons insuffisantes.

JUSTICE DRAPER : De sorte que, si c'était la Couronne qui prétendait que c'était un singe...

JAMESON : ... Nous plaiderions peut-être que c'était un enfant, Votre Honneur.

JUSTICE DRAPER : Mais alors, ce n'est pas autre chose que l'esprit de contradiction ! *(À Douglas.)* Vous refusez de vous défendre, c'est ça ?

DOUGLAS : Me défendre de quoi, *my lord* ? D'avoir tué un petit singe ?

JUSTICE DRAPER *(nerveux)* : D'avoir tué un petit enfant.

DOUGLAS *(grave)* : Et si c'était un petit enfant ?

JUSTICE DRAPER : Alors plaidez le doute.

DOUGLAS *(grave)* : Et comme j'ai provoqué ce procès justement, comme je joue ma tête pour qu'on lève le doute, j'aurais donc agi comme gribouille[1].

400   JUSTICE DRAPER : Mais enfin, sacrebleu ! ce devrait pourtant être facile à établir, ce qu'ils sont, ces tropis ! On nous dit qu'ils ressemblent à des gorilles, mais aussi à des hommes très primitifs. Est-ce qu'on ne retrouverait pas chez les tropis telle ou telle manière d'être qu'on observe chez ces primitifs ? N'aurions-405 nous pas ici un connaisseur en la matière, susceptible de nous éclairer ?

MINCHETT : Si, justement, notre prochain témoin, le professeur Kreps. C'est sa spécialité.

JUSTICE DRAPER : Eh bien, qu'on le fasse venir.

410   L'HUISSIER : Professeur Kreps !

Kreps vient à la barre et prête serment.

JUSTICE DRAPER : Professeur, les témoins nous ont dit que vous avez longuement étudié les mœurs des Négritos. N'avez-vous pas retrouvé chez les tropis quelques-unes, au moins, de 415 leurs habitudes ?

KREPS : Bien entendu, *my lord.* Et même aussi des nôtres.

MINCHETT *(enchanté)* : Ah ! Ah !

KREPS : Seulement, qu'est-ce que ça prouve ? Les singes aussi font des choses étonnantes. Tenez, le rire : c'est peut-être bien 420 le propre de l'homme, ça n'empêche pas les chimpanzés de se

---

1. Personne sotte et naïve qui se jette dans les ennuis qu'elle souhaitait éviter.

fendre la pipe jusqu'aux oreilles. Et puis, naguère encore aux colonies, combien en voyait-on qui faisaient le ménage, la vaisselle, sans même ébrécher une assiette ? Et mon ami Desmond Morris[1]... Il leur donne des toiles et des couleurs et ils lui fabriquent à quatre mains des peintures abstraites – et pas mauvaises du tout...

GREAME *(de son banc)* : J'en ai vu exposées à Stockholm, les gens les prenaient pour des Pollock[2].

KREPS : ... seulement ne vous avisez pas de les récompenser d'un sucre : parce qu'alors ils vous bâclent à toute allure des peintures commerciales, ha ! ha ! Bon, les tropis peuvent faire tout ça aussi, même ils nous ont aidés à visser les écrous d'un hangar. Seulement c'était pour le plaisir et ils auraient vissé n'importe quoi, sans être fichus de se demander à quoi ça pouvait servir. Quoi encore ? On vous a dit, bien sûr, qu'ils enterrent leurs morts. La vérité, c'est qu'ils les foutent dans des crevasses avec des pierres par-dessus. Tout ça ne nous avance pas.

MINCHETT : Il me semble, au contraire, professeur, que les capacités des tropis s'accumulent. Ils font du feu, taillent la pierre et enterrent leurs morts, font le ménage et la vaisselle, vissent des écrous et font de la peinture...

KREPS : Voui, voui. Ça fait de l'effet comme ça, mais quand

---

1. Dessinateur, peintre, présentateur d'émissions télévisées consacrées au comportement animal, auteur du best-seller *Le Singe nu* (1967).
2. Peintre américain (1912-1956) non figuratif qui modifia la pratique picturale en impliquant le corps tout entier dans le geste de peindre (*action painting*).

il s'agit d'imitation, les singes sont très très forts, vous savez. La
445 science, la biologie n'ont rien à voir avec ces petites expériences
amusantes pour les dimanches et les jours de pluie.

JUSTICE DRAPER : Mais enfin, professeur, les hommes, ça
pense et ça parle. Pouvez-vous nous dire si les tropis pensent, et
s'ils parlent ?

450 KREPS : Ça, *my lord*... c'est plutôt à notre bénédictin, c'est
au père Dillighan que vous devriez le demander. Il est un
peu spécialiste d'acoustique animale et vous répondra mieux
que moi.

JUSTICE DRAPER : Ah, merci, professeur. *(À Minchett qui*
455 *acquiesce.)* Est-ce un de vos témoins ? Bien. *(À l'huissier.)*
Veuillez donc appeler le père Dillighan.

L'HUISSIER : Le révérend père Dillighan !

Pop vient à la barre et prête serment.

JUSTICE DRAPER : Mon père, la défense nous assure...

460 MINCHETT : Le témoin est à moi, Votre Honneur.

JUSTICE DRAPER : Bon, interrogez-le.

MINCHETT : Mon père, on vient de nous dire que les questions de langage sont précisément votre affaire. À votre
connaissance, les tropis savent-ils parler entre eux ?

465 POP *(levant des mains découragées)* : Et que voulez-vous, une
fois de plus, qu'on vous réponde ? Qu'est-ce que c'est qu'un
langage ? Un assemblage de sons formant des mots, c'est-à-dire
des symboles. Combien de sons ? Combien de mots ? Les
Grecs, voyez-vous, ont longtemps et vainement disputé pour
470 savoir combien, au minimum, il fallait de cailloux pour former

un tas. Était-ce trois, cinq, sept, neuf ou davantage? Les Chinois ont soixante mille mots. Nous en avons trente mille. Les Zoulous en ont sept ou huit mille. Les Boschimans, cinq ou six cents. Tout en bas de l'échelle, les Veddahs de Ceylan en ont deux cents ou deux cent cinquante, qu'ils débitent à la queue leu leu sans la moindre ébauche de syntaxe. Est-ce encore un langage? Chez les tropis, j'ai pu identifier, jusqu'à présent, cent dix-huit cris ou modulations distinctes, ayant chacun sa signification. Est-ce assez pour affirmer qu'ils parlent? Ou bien en faudrait-il cent cinquante? Ou bien suffirait-il de cent? Garner a pu distinguer chez les chimpanzés plus de soixante sonorités diverses. Est-ce qu'ils parlent? On en distingue quarante chez le corbeau. Nous sommes dans le plus parfait arbitraire.

JUSTICE DRAPER : Mais ces... sonorités, comme vous dites, chez les tropis, sont-elles des cris ou des mots? S'ils disent simplement «Ouille-ouille-ouille!» quand ils se font mal et «Oh-là-là!» quand ils sont contents...

POP : Et s'ils disent «zut» et «vite» et «stop» et «Hip-hip-hip hourrah!», est-ce que ce sont des cris ou des mots? Et quand, en Amérique, vous lisez en grosses lettres sur une station-service : HERE EAT CAR WASH («Ici-mange-auto-lave») est-ce encore du langage articulé? L'Américain moyen limite son vocabulaire à trois ou quatre cents mots : il vaut donc dix corbeaux ou six orangs-outangs? Les tropis, je vous l'ai dit, usent de modulations parfaitement distinctes, liées à des significations aux moins aussi précises. Tenez, voulez-vous des

exemples ? *(Il pousse soudain une série de cris gutturaux.)* Cela veut dire : « Attention, danger ! » *(Autre série de cris.)* « Où est
500 passée ma femme – ou ma femelle ? » *(Autre série.)* « Celui qui touche à ma viande, je l'assomme ! » Est-ce là un langage ?

MINCHETT *(sérieusement)* : Il me semble.

POP : Mais quand le rossignol fait « Tû... tu-it, culu-culu... trrû-it... », qu'est-ce que vous croyez qu'il veut dire ? *(Geste
505 d'ignorance de Minchett.)* Eh bien, c'est la même chose que les Papous quand ils font sur leurs tam-tams : *(il tambourine sur ses joues tendues pour qu'elles résonnent ou bien sur le parquet en faisant des claquettes, ou les deux)* « Tob, tatatob... tacatatob, totob... » Autrement dit : « Il y a des renards dans le coin. »

510 KREPS *(de son banc)* : Ah non, pardon, Pop, ça ce sont les chacals ; les renards, c'est : *(il se lève, tambourine ou claquette)* « Totob, totob, tacataca, totob... »

POP : Ah oui, d'accord, d'accord. Eh bien, les tropis, eux, font : « Khrâ, rouroûh, arrarâh ». Vous voyez bien que, du tropi
515 au Négrito, en passant par le rossignol, on change seulement de clavier. Et remarquez le pluriel, hein ? « Tû... tu-it », *un renard* ; « ti... ti-ut », *des renards*. Et les tropis : « Aroû... hrâ-hrâ... » Et les Négritos...

JUSTICE DRAPER *(endiguant la démonstration)* : Ne pourriez-
520 vous... ne pourriez-vous, mon père, tirer de tout cela, pour nous, quelque conclusion plus positive ?

POP : Non, je ne le peux pas. Si je le pouvais, *my lord*, je ne serais pas tourmenté comme me voici !

JUSTICE DRAPER : Nous le sommes tous, mon père. D'ailleurs, qu'est-ce qui vous tourmente ?

POP : Je ne suis pas seulement anthropologue, *my lord*, je suis prêtre !

JUSTICE DRAPER : Eh bien, moi je suis juge !

POP : Mais vous n'avez pas, *my lord*, à vous demander, vous, dans l'angoisse et le tourment, si ces pauvres créatures ont ou n'ont pas une âme... Les bêtes n'en ont pas, elles sont innocentes ; mais si les tropis sont des hommes, ils vivent dans le péché, et c'est à nous, anthropologues, c'est à moi, prêtre, que l'on demande d'en décider... C'est épouvantable. Car la science ne nous est d'aucun secours sur pareille question !

JUSTICE DRAPER : Eh bien, qu'attendez-vous pour la poser à Rome ?

POP : Je l'ai fait, Votre Honneur, bien entendu ! Mais on m'a renvoyé à l'encyclique *Humani Generis*[1]. L'Église y précise bien la limite entre l'animal et l'homme, seulement nos tropis s'y trimballent, sur la limite, un pied-ci un pied-là (si toutefois ils ont des pieds) comme Charlot sur la frontière du Texas et du Mexique. C'est insoluble !

JUSTICE DRAPER : Mais enfin, mon père, c'est entendu, vous êtes prêtre, priez pour eux, mais vous êtes aussi anthropologue ! Vous devriez pouvoir nous éclairer un peu !

POP : Non, Votre Honneur, je ne le peux pas.

---

1. Lettre envoyée par le pape aux évêques pour rappeler la doctrine de l'Église en matière de définition du « genre humain » (*humani generis*).

JUSTICE DRAPER *(s'énervant)* : De mieux en mieux. L'accusé
ne dit rien, la défense ne dit rien, les médecins non plus, ni les
550 prêtres, ni l'Église, ni Rome, ni les anthropologues... Personne
ne veut rien dire ! Alors qu'est-ce que l'on veut que nous
sachions, nous, d'une pareille affaire ! – *(Il reprend son sang-
froid.)* Eh bien, nous en relèverons le défi. Vous n'avez rien à
ajouter, mon père ?

555 POP : Pas même pour mon salut.

JUSTICE DRAPER : Très bien. *(À Jameson.)* Et vous, maître,
non plus ?

JAMESON : Non, je regrette ; pas pour l'instant.

JUSTICE DRAPER : Donc, l'accusé, pas davantage, je suppose ?
560 À merveille. La Couronne, elle, s'en tient obstinément à la légalité. *(Au président du Jury.)* Et quant à vous, monsieur le président, vous n'y comprenez rien ni moi non plus. Voilà qui commence le mieux du monde. Mais, patience. Je suis ici, moi,
pour trouver la réponse. *(Il les regarde tous.)* Et je vous donne
565 ma parole que je la trouverai, même si ça ne vous plaît pas, messieurs ! Il ne sera pas dit qu'en ma personne je laisserai bafouer
la justice britannique. Nous nous retrouverons après le thé et
quelques minutes de réflexion. L'audience est suspendue.

Exit. Le tribunal est évacué.

ACTE II

SIXIÈME TABLEAU

Le tribunal. Tout le monde est en place, sauf le juge.

L'HUISSIER : Messieurs, la Cour !
Draper entre et s'installe.
JUSTICE DRAPER *(avec un calme appuyé)* : Nous espérons que ces quelques minutes vous auront fait revenir, messieurs, à des sentiments plus conformes au respect dû à ce tribunal et au bon exercice de la justice. *(À l'huissier.)* Faites entrer le prochain témoin.
MINCHETT : Permettez, Votre Honneur, je voudrais poser encore quelques questions au professeur Kreps.
JUSTICE DRAPER : Très bien. Voulez-vous, professeur, revenir à la barre ?
Kreps quitte son banc et s'installe.
MINCHETT : Professeur, vous étudiez la psychologie primitive et donc, je suppose, le langage primitif. Vous venez d'entendre le père Dillighan...
KREPS *(riant)* : Oui. Et il ne vous a pas tout dit, le cachottier !...
MINCHETT : Ah !... Et quoi donc ?
KREPS : Eh bien, qu'il leur avait appris l'anglais, à ses tropis.
MINCHETT *(ravi, vers le Jury)* : Appris l'anglais ?

KREPS : Oui, à dire « *ham* » pour avoir du jambon et « *zik* » pour qu'on ouvre la radio. Ils sont fous de jazz-pop.

MINCHETT : Ah ! Ils dansent ?

KREPS : Non, ils se battent. Mais ne vous emballez pas, à son
25 orang-outang aussi Furness avait appris à l'appeler « Pa-pa » et à dire « *tea* » quand il avait soif.

MINCHETT : Cependant, professeur, n'est-il pas établi que tous les langages humains se distinguent de langages animaux par la présence ou l'absence d'une même structure fondamen-
30 tale ?

KREPS : Oui, mais c'est trop simple aussi.

JUSTICE DRAPER : Expliquez-nous cela.

KREPS : Bon. Prenons le chinois et l'allemand. Le chinois est musical et monosyllabique. Selon qu'on prononce « *Ha* » *(son*
35 *montant)* ou « *Ha* » *(son descendant)* la même syllabe signifie soit *l'embonpoint*, soit *le général en chef*. De sorte que *l'obésité du général en chef* se dira par le doublé « *Ha-ha* » *(descendant-mon-tant)* ; alors qu'en allemand, langue agglutinante, pour dire la même chose, on n'aura besoin que d'un seul mot :
40 « *Oberbefehlshaberdickbaüchigkeit*[1] », toutefois un peu plus long. Si ces deux langues-là ont une structure fondamentale commune, on ne la voit pas tellement bien.

JUSTICE DRAPER : Mais dans le langage tropi ?

KREPS : On ne distingue aucune structure...
45 POP *(de son banc)* : Ça, c'est à voir.

---

1. Littéralement : « La rotondité du ventre du fondé de pouvoir supérieur ».

KREPS : … Mais ça ne prouve rien non plus dans l'autre sens.

JUSTICE DRAPER : Comment cela ?

KREPS : Vous trouverez encore au Caucase et dans les Pyrénées des bergers qui, pour se parler à travers la montagne, usent d'un code télégraphique sifflé, sans la moindre structure. Par exemple *(il siffle)* : « Tu n'aurais pas un bouc pour ma chèvre ? » Ou bien *(il siffle)* : « Envoie-moi donc ta sœur. » Ou bien…

JUSTICE DRAPER *(vite)* : C'est très intéressant et le langage tropi n'en est pas tellement loin. L'ennui, c'est que chaque aspect de la question provoque immédiatement l'aspect contraire !

KREPS : Parce que nous sommes trop intellectuels, *my lord*. Tandis que, tenez, nos Papous, notre brave bénédictin a beau les avoir convertis à l'Église catholique apostolique et romaine, ils ne se sont pas posé toutes ces questions sans queue ni tête. Ils se sont fait tout de suite une opinion.

JUSTICE DRAPER : Quelle opinion ? Et quels Papous ?

KREPS : Nos porteurs indigènes. Ils ont mis le pauvre Pop dans tous ses états. Si vous aviez vu sa pauvre gueule !…

Il éclate de rire.

POP *(de sa place)* : Taisez-vous, Kreps ! il n'y a pas de quoi rire !

Noir sur le tribunal. Lumière sur l'avant-scène.

SEPTIÈME TABLEAU

*Le camp. Le tribunal est dans la pénombre. Des lueurs, venues
du fond, intriguent Greame, Kreps et Pop, qui regardent,
le dos tourné. On entend un brouhaha de fête,
de chants sauvages. Tam-tam assourdi, mais forcené.
Le rire de Kreps ne s'est pas interrompu.*

POP : Ah! Kreps, en voilà assez! Ne riez pas comme ça!

KREPS : Qu'est-ce qu'ils peuvent bien foutre, vos Papous? Ils
récitent leur catéchisme ou quoi?

POP *(vexé)* : Aux oreilles de Dieu, douce est toute joie qui
5 vient du cœur.

KREPS : Vous êtes sûr qu'elle ne vient pas des fesses?

POP : Danser est aussi une façon d'adorer Dieu, pour des
âmes simples.

KREPS : Voui, voui, ha! ha! Drôles de catéchumènes[1], quand
10 même.

GREAME : Pourquoi êtes-vous si taquin, Kreps? Laissez donc
ces Papous s'amuser comme ils veulent, et Pop veiller à leur
salut.

KREPS *(avec un entrechat[2])* : Le salut par la joie, youpie!... Au
15 fond, la formule me convient.

Entre Sybil, visiblement joyeuse.

---

1. Personnes qu'on prépare au baptême en les instruisant dans la foi chrétienne (catéchisme).
2. Croisement rapide des pieds lors d'un saut dans une figure de danse.

GREAME : Alors, petite, des nouvelles de Douglas ? Il a quitté Sydney ?

SYBIL : Il sera ici dans un moment. L'hélicoptère s'est déjà posé. Juste le temps de descendre en Jeep...

KREPS : Prenez garde, mademoiselle. Alerte ! Alerte !

SYBIL : Et à quoi donc ?

KREPS : L'amour peut aveugler même un esprit scientifique. Et votre petit journaliste a des idées de journaliste : c'est-y-des-singes-c'est-y-des-hommes ? Mais Bon Dieu, qu'est-ce que ça peut bien lui foutre ? Ne vous laissez pas faire, ma bonne demoiselle ! Parce que, quand au lieu d'observer on se met en tête de prouver, on est fichu, on ne dit plus que des bêtises.

SYBIL : C'est vrai... mais quand même, Kreps, à force de vivre ici des mois et des mois sur la frange de l'humain, entre vos Négritos qui sont tout juste des hommes et ces tropis qui ne le sont pas encore, semble-t-il ; à force de vouloir nous cantonner dans l'étude et la description d'une troisième molaire, d'un deuxième métacarpe, est-ce que nous ne risquons pas de nous fossiliser à notre tour ? Et d'oublier, je ne sais pas, quelque chose d'important, de bien plus important ?

KREPS : Puffh... c'est du romantisme.

POP *(sans se retourner)* : Kreps, je l'ai toujours dit : vous avez une caboche de Prussien.

SYBIL : C'est vrai, Kreps, vous ne croyez ni à Dieu ni à Diable, je sais, et moi non plus. Mais quand même, l'âme par exemple : ce mot ne vous dit rien ?

KREPS : Bien sûr que si. Comme à tout le monde. À condition qu'on me dise ce que c'est. Objectivement. À quel signe
45 elle se manifeste, à quel signe on la reconnaît. Hein, Pop ! À quel signe ?

POP *(même jeu)* : À la prière.

KREPS : Eh bien, je ne prie pas. Par conséquent je n'ai pas d'âme. Donc je ne suis pas un homme, mais un Prussien.
50 C.Q.F.D.

POP *(même jeu)* : Vous priez sans le savoir.

KREPS : Alors je suis un homme sans le savoir.

GREAME : Vous n'avez pas fini de vous chicaner ? Ah, mais voici Douglas.

55 *L'on a en effet entendu approcher un bruit de moteur, qui vient de s'arrêter. Douglas paraît en tenue de voyage. Sybil va joyeusement à sa rencontre.*

SYBIL *(l'aidant à se débarrasser)* : Oh mais vous avez fait vite, Douglas.

60 *Sans répondre, Douglas la regarde sombrement.*

GREAME *(un peu surpris par ce silence)* : Alors, mon vieux, bon voyage ? Ça vous a plu, Sydney ?

Pas de réponse.

KREPS *(pour briser la glace)* : Vous avez fait du bon boulot là-
65 bas ? Vous avez pu montrer nos films au Muséum ? Qu'est-ce qu'ils en ont pensé ?

DOUGLAS *(d'un drôle de ton)* : Je suis revenu pour vous l'apprendre. Nous avons commis là une terrible erreur, voilà le fait.

GREAME : Sur nos tropis ?

DOUGLAS : Non. En montrant nos films. Avant d'avoir décidé ce qu'ils sont, nos tropis. Parce qu'il faudra en décider, maintenant, je vous préviens. Et sans délai !

SYBIL *(nerveuse et agacée)* : Mais pour la centième fois, qu'est-ce que ça peut vous fiche ? Elles sont ce qu'elles sont, ces créatures, le nom qu'on leur donnera n'y changera rien. Nous avons bien le temps d'y réfléchir !

DOUGLAS *(dur)* : C'est ce que vous croyez.

SYBIL : Que voulez-vous dire ?

DOUGLAS *(même jeu)* : Que, par votre faute, il est peut-être déjà trop tard.

SYBIL : Trop tard pour quoi ? Enfin expliquez-vous !

DOUGLAS : Répondez-moi d'abord : pourquoi refusez-vous de les classer dès maintenant dans l'espèce humaine ? Ils y ont bien droit, non ? avec tout ce que nous leur avons appris à faire ?

SYBIL : Ne vous emballez pas. Vous n'avez pas vu les castors construire leurs digues, changer le cours des rivières...

KREPS : Savez-vous que les fourmis font des conserves de champignons ? qu'elles élèvent du cheptel ? qu'elles enterrent leurs morts au cimetière ?

SYBIL : Et d'ailleurs, quand bien même un cheval apprendrait à jouer du piano comme Rubinstein[1], il n'en deviendrait pas un homme pour autant. Ce serait toujours un cheval.

DOUGLAS *(violent)* : Mais vous ne l'enverriez pas à l'abattoir !

---

1. Pianiste américain (1887-1982), brillant interprète de Chopin.

⁹⁵ SYBIL : Vous mélangez tout. Il ne s'agit pas de ça...

DOUGLAS : Peut-être pour vos grands singes fossiles d'il y a un million d'années. Mais ces tropis sont vivants, Sybil. Bon sang, ils sont vivants !

SYBIL : Quelle différence, vivants ou non ?

¹⁰⁰ DOUGLAS : Ma parole, parfois je me demande si vous avez un cœur dans la poitrine ou une mâchoire brèche-dent !

Sybil, froissée, s'éloigne. Pop prend Douglas par le bras et l'entraîne.

POP *(bas, ému)* : Vous avez fichtrement raison ! Dans des ¹⁰⁵ moments pareils, cette sécheresse de la science me dégoûte. Savez-vous ce que je pense ? Que nous méritons tous d'être damnés.

DOUGLAS *(surpris)* : Vous tous hommes de science ?

POP : Non, non : nous tous hommes de foi et de charité. ¹¹⁰ Cette question des tropis nous ouvre des perspectives terrifiantes. « Les hommes, enseignait notre maître saint Augustin, naissent tellement coupables que même les enfants sont damnés quand ils meurent sans baptême. » Mais le baptême n'existe que depuis deux mille ans, l'homme depuis cinq cent mille. ¹¹⁵ Alors ces millions et ces millions d'âmes, que sont-elles devenues ? Je sais bien que, de nos jours, l'Église est plus tolérante ; mais est-il sûr qu'elle ait raison ? Et si c'était saint Augustin ? Ce doute me déchire. *(Plus agité encore.)* Et ceux-là, tous ces pauvres tropis ? Qu'est-ce que je dois en faire ? S'ils sont des ¹²⁰ bêtes, un sacrement serait sacrilège. Il ridiculiserait ma robe.

Mais si ce sont des hommes ? *(Il saisit Douglas par son revers.)* Hein ? si ce sont des hommes ? Puis-je les abandonner ?

DOUGLAS : Pop !... vous voudriez... vous voudriez les baptiser, c'est ça ?

POP *(lâchant Douglas)* : Je ne sais pas, je ne sais vraiment pas et j'en crève !

Un temps. Puis éclatent soudain des hurlements sauvages. Le tam-tam redouble.

KREPS : *Der Teufel* !¹ Il se passe quelque chose !

POP *(inquiet)* : Je vais voir.

Exit. Les autres regardent vers le fond.

KREPS *(riant)* : Il m'attendrit, ce brave vieux Pop, avec ses ouailles². Ils n'ont pas fini de lui donner du fil à retordre.

GREAME *(même jeu)* : Il n'a même pas réussi encore à les faire renoncer à leurs tatouages. Simplement, ils y mêlent parfois l'image de la croix et de la couronne d'épines.

KREPS *(même jeu)* : Avec les chauves-souris et les dragons, ça fait joli...

SYBIL *(même jeu)* : Ce qui le rend bien sûr absolument furieux. C'est un spectacle à voir. Ses malheureux Papous sont terrifiés.

KREPS : Pour le moment, ils me paraissent plutôt joyeux. *(Brusque silence des Papous.)* Tiens tiens !... silence de mort... Notre brave homme doit être en train de leur filer un sermon.

---

1. « Le diable ! » : juron (allemand).
2. Les chrétiens (ici, les papous) par rapport à leur prêtre (ici, Pop).

145   GREAME : Non, le voici qui revient...

Pop paraît en effet. Il est très pâle, et les regarde, muet, d'un air égaré.

KREPS : Alors, Pop ? Qu'est-ce qu'ils font, vos Papous ? Ils célèbrent Vishnou[1], ou la lune ou quoi ? *(Pour toute réponse,* 150 *Pop, d'un air hagard, fait en silence le geste de tourner une broche.)* Hé ?

POP *(d'une voix blanche)* : Ils les font rôtir.

KREPS : Qui ?

GREAME *(effaré)* : Pas nos gentils tropis, quand même ?

155   POP : Si. À la margarine.

Sybil, le visage défait, va se réfugier contre Douglas dont elle saisit une main.

KREPS : *Donnerwetter !*[2]

GREAME *(à Pop)* : Et vous les laissez faire ? *(Il saisit une arme.)* 160 Moi, je vais aller leur dire deux mots !

POP *(le retenant)* : Cuthbert ! n'en faites rien. Que voulez-vous leur dire ? On ne peut rien leur reprocher. Qu'ont-ils mangé ? Des hommes ou des animaux ? Nous l'ignorons nous-mêmes. Comment leur demander d'en savoir plus que nous ?

165   GREAME : Mais ce sont d'horribles anthropophages[3] !

POP : Ou de paisibles chasseurs ? Qu'en savons-nous ? Je ne

---

1. Grande divinité brahmanique (hindoue) représentant les forces évolutives de l'univers – ce qui explique ses très nombreuses formes (ou « avatars »). La plus courante le montre doté de quatre bras, portant un disque, une conque, un lotus et une massue, et porté par l'oiseau mythique : Garuda.

2. « Bon sang ! » : juron (allemand).

3. Cannibales. Se dit des humains qui mangent de la chair humaine.

peux pas même exiger d'eux qu'ils se confessent d'un péché mortel : ils auraient beau jeu de faire les étonnés. Et, d'ailleurs, sur quoi fonderais-je le refus d'une absolution sans pénitence ? Sur le péché de gourmandise ? Ce serait une tartuferie[1] sinistre. Alors, de quoi les accuser ? De quoi, mon Dieu ?

Un temps. Détresse unanime.

SYBIL *(d'une voix blanche)* : *Daddy...*

GREAME : Oui, ma fille ?

SYBIL : Nous devons tous des excuses à Douglas. C'est lui qui avait raison. Après un incident comme celui-là, nous ne pouvons plus admettre l'incertitude.

GREAME : Mais comment en sortir ?

Tous méditent longuement.

KREPS *(mi-railleur, mi-sérieux)* : Je propose quelque chose.

TOUS LES AUTRES : Ah...

KREPS : Une espèce zoologique, qu'est-ce que c'est en somme ? Un groupe d'animaux aptes à se reproduire. Même si parfois ils ne se ressemblent pas entre eux. Faites par exemple couvrir par un basset une femelle de saint-bernard ; je ne dis pas que ce sera commode mais vous aurez quand même un chien. Alors, Pop, ne pourrait-on essayer de faire engrosser une de ces tropiettes par un de vos Papous, afin de voir ce que ça peut donner ?

POP : Si pareille infamie devait jamais se commettre, je rentrerais immédiatement cacher ma honte dans mon couvent de bénédictins !

---

1. Hypocrisie digne de Tartuffe, le faux dévot de Molière.

GREAME : Allons, Pop, pourquoi ? Ce n'est pas si bête. Si c'est seulement une question de pudeur, il suffirait d'une insémina-
195 tion. Et d'ailleurs...

POP : Satanisme ! Satanisme ! Les bêtes ne peuvent pécher et il est licite de faire un mulet, ou de rechercher par divers croisements à créer de nouvelles espèces. Mais l'homme est une créature divine. Et les pratiques détournées que vous évoquez
200 dissimulent, sans l'abolir, un sacrilège abominable !

GREAME : Tst, tst. L'Église condamne l'insémination mais elle n'est pas intransigeante et ferme souvent les yeux. Nous devrions, d'ailleurs, mener l'expérience sur deux fronts, et faire couvrir d'autres tropiettes par un gorille ou un orang-outang.
205 Nous verrons bien alors ceux qui réussiront : les hommes ou les singes.

POP : Et s'ils réussissent tous ? Que ferez-vous de toutes ces créatures ? Oubliez-vous les cas d'hybridation[1] ? Une chienne peut être fécondée par un loup : cela donne un crocotte ; une
210 ânesse par un étalon ; et même une vache par un âne : vous avez un jumart. Vous ne pouvez être sûrs de rien. Je me refuse à être complice d'une pareille profanation. Si vous vous y décidez quand même, vous en serez seuls éclaboussés par l'irrémissible[2] scandale !

215 *Exit. Consternation.*

KREPS *(après réflexion)* : Eh bien alors, une autre idée. Par

---

1. Croisement (naturel ou artificiel) entre deux variétés d'une même espèce. Quand il s'agit de populations, on emploie plutôt *métissage*.
2. Impardonnable.

exemple, un assassinat. On découvre un cadavre, on arrête le meurtrier, on le juge, on le condamne : le cadavre était celui d'un homme. Si on l'acquitte, c'était celui d'un singe. C'est bien un peu exorbitant comme solution, mais...

DOUGLAS : Mais si, au bout du compte, c'était le seul moyen ?

SYBIL *(effrayée)* : Douglas... à quoi pensez-vous ?

DOUGLAS *(dur)* : Il est temps, Sybil, que vous appreniez où nous en sommes. Il y a un beaucoup plus grand danger pour nos pauvres tropis que d'en voir deux ou trois mis à la broche.

GREAME : Quelque chose les menace ? Parlez ! C'est à cause de nos films ? Nous n'aurions pas dû les montrer ?

DOUGLAS : Non, sans d'abord être sûr que ces vieux crabes du Muséum ne les feraient pas voir à des spectateurs indiscrets. Mais ils ont dû le faire, ces salauds-là !

GREAME : À qui ? Vous nous effrayez.

DOUGLAS : À une bande de cannibales autrement féroces et voraces que nos pauvres Papous ! À commencer par un certain Vancruysen, de Sydney.

HUITIÈME TABLEAU

Le tribunal. Le témoin à la barre est un quinquagénaire corpulent, au visage sanguin. Il n'apprécie pas du tout d'être là.

JAMESON : Monsieur Vancruysen, où résidez-vous ordinairement ?

VANCRUYSEN : À Sydney et à Londres.

JAMESON : De quoi vous occupez-vous là-bas ?

5   VANCRUYSEN *(évasif)* : De différentes affaires.

JAMESON : Si nos informations sont justes, n'êtes-vous pas depuis peu devenu président de la Société fermière du Takoura, en Nouvelle-Guinée ?

VANCRUYSEN : Oui, entre beaucoup d'autres.

10   JAMESON : Veuillez nous préciser les buts de cette société.

Vancruysen regarde le juge d'un air interrogatif.

JUSTICE DRAPER : Les occupations du témoin, maître, ont-elles un rapport direct avec la cause qui nous occupe ?

JAMESON : Un rapport tout à fait direct, Votre Honneur.

15   JUSTICE DRAPER : Veuillez donc répondre, monsieur Vancruysen.

VANCRUYSEN : Nous exploitons les gisements du massif en naphte[1], nitre[2], wolfram[3] et autres minéraux.

JAMESON : Ne faites-vous rien de la faune et de la flore ?

---

1. Pétrole brut.
2. Produit chimique proche du salpêtre.
3. Minerai de tungstène.

VANCRUYSEN : Nous recueillons le caoutchouc des hévéas. *(Jameson le fixe.)* Et nous louons des chasses.

JAMESON : C'est tout ?

VANCRUYSEN : C'est tout pour le moment.

JAMESON : Car vous avez d'autres projets ?

VANCRUYSEN : On a toujours d'autres projets.

JAMESON : Dites-nous donc, monsieur Vancruysen, comment vous avez appris l'existence, dans le massif du Takoura, de nombreux spécimens du *Paranthropus erectus,* familièrement appelés tropis.

VANCRUYSEN : Lors de certaines projections privées.

JAMESON : Au Muséum de Melbourne, c'est cela ?

VANCRUYSEN : Je suis membre de son Conseil administratif.

JAMESON : Que représentaient ces films ?

VANCRUYSEN *(vague)* : C'étaient des documentaires sur la vie des tropis.

JAMESON : Que l'on voyait au travail, n'est-ce pas ?

VANCRUYSEN : Parfois, oui.

JAMESON : Pendant les expériences de dressage et s'acquittant fort bien de certaines besognes ? *(Vancruysen se tait.)* Quand avez-vous vu projeter ces films ?

VANCRUYSEN : J'en ai perdu la date.

JAMESON : Au début d'octobre dernier. Et quand avez-vous pris le contrôle de la Société fermière ?

VANCRUYSEN *(au juge)* : N'est-ce pas intervenir dans mes affaires ? Dois-je répondre ?

JUSTICE DRAPER : Vous avez prêté serment, monsieur Vancruysen.

VANCRUYSEN : À la fin d'octobre dernier.

JAMESON : Ainsi, très peu de temps après la projection des
50 films. La Société fermière n'était-elle pas, pourtant, quelque peu en déconfiture ?

VANCRUYSEN : Elle avait des difficultés.

JAMESON : Ce qui ne vous a pas empêché d'en acquérir en toute hâte, pour un prix dérisoire il est vrai, la majorité des
55 actions ? *(Silence de Vancruysen.)* La Société fermière étant propriétaire de toute la faune du Takoura, si les tropis sont des singes, par conséquent ils vous appartiennent, avec le droit d'en faire ce que bon vous semble ?

VANCRUYSEN : Sans doute.

60 JAMESON : S'ils étaient des hommes, au contraire, ils n'en constitueraient pas la faune, mais la population, laquelle échapperait alors à toute propriété ? *(Vancruysen hausse les épaules.)* Monsieur Vancruysen, n'avez-vous pas formé, en ce même mois d'octobre, un consortium[1] en vue de fonder en Australie
65 une chaîne de filatures ?

VANCRUYSEN : J'en ai jeté les bases.

JAMESON : Car, contrairement à ce qu'on pourrait croire, il n'existe pas encore en Australie, pourtant grande productrice de laine, une industrie lainière équivalente. Comment expliquez-
70 vous cela ?

---

1. Groupement d'entreprises réalisé en vue d'une opération financière.

VANCRUYSEN : Je ne suis pas économiste.

JAMESON : Oh ! nous pouvons très bien répondre à votre place. *(Aux jurés.)* C'est une question de prix de revient. Si l'Australie nous envoie sa laine brute au lieu de la tisser sur place, c'est parce que la main-d'œuvre y est beaucoup plus rare et donc beaucoup plus chère qu'en Angleterre. Tout essai de concurrence avec nos filatures s'est toujours soldé par des faillites. Personne là-bas ne l'ignore. Les banques moins que tout autre ; n'est-ce pas ?

VANCRUYSEN : Demandez-leur.

JAMESON : Néanmoins, toujours dans ce même mois d'octobre, elles ont subitement investi plusieurs millions de dollars dans la construction immédiate de vastes filatures. N'est-ce pas, de leur part, une étrange imprudence ?

VANCRUYSEN : Je vous répète : demandez-leur.

JAMESON : À moins qu'elles n'aient d'excellentes raisons de croire que vous êtes en mesure de vous procurer une nombreuse, très nombreuse main-d'œuvre à bon marché, à très bon marché ?

VANCRUYSEN *(changeant de ton et soudain agressif)* : *My lord,* on est en train de me chercher une mauvaise querelle. Où la défense veut-elle en venir ? À nous accuser d'esclavage, parce qu'il existerait un projet de main-d'œuvre tropie dans nos usines ? Eh bien, si c'était vrai ? Les tropis appartiennent, de façon évidente, à certaine espèce de primates, et non à l'espèce humaine. Existe-t-il une loi qui interdit l'emploi d'animaux domestiques pour soulager le travail humain ?

JUSTICE DRAPER : Non, en effet.

VANCRUYSEN : Alors, qu'est-ce qui ne va pas ? Abandonnés
100 dans le désert, les tropis sont exposés à tous les aléas. Nous
allons au contraire, nous, soumettre les femelles à un élevage
intensif dans des locaux ultramodernes, avec des soins vétéri-
naires de tous les instants. Est-ce un crime contre la prospérité
de l'espèce ? Les mâles se livrent, à l'époque des amours, à des
105 luttes meurtrières. Nous les protégerons contre eux-mêmes par
une... petite opération. Y trouvez-vous à redire ? Nous les
emploierons dans nos usines par équipes de six, sous la
conduite d'un ouvrier. Cela produira des tissus à bas prix. Qui
s'en plaindra ? Sinon, bien entendu, les textiles anglais... Eh
110 bien, qu'ils se défendent !

*Le président du Jury lève la main. Le juge lui donne, d'un geste,
la parole.*

LE PRÉSIDENT DU JURY *(debout)* : Mais... mais... mais... est-ce
que nous comprenons bien, *my lord*, ce que le témoin vient de
115 nous dire ? Que, si ces bestiaux-là sont des singes, monsieur pourrait, dans ses usines, y faire travailler gratuitement tous ces tropis,
et toutes ces tropiettes, et tous ces tropiots nés ou à naître ?

JUSTICE DRAPER : Eh oui, sans doute.

LE PRÉSIDENT DU JURY : Mais alors... mais alors... nos fila-
120 tures à nous, ici, en Grande-Bretagne ? Je suis du Yorkshire, *my
lord*, et fabricant de drap... Nous n'avons pas de tropis par ici !
Et puis d'ailleurs, nos syndicats.... *(Il se rassoit lentement, les
yeux sur Vancruysen.)* Eh ben... eh ben... eh ben...

JAMESON : Il me semble que messieurs les jurés commencent

à se faire de ce procès une idée plus réaliste. Mais pour que ces beaux projets voient le jour, monsieur Vancruysen, encore faut-il que la Société fermière, les banques, vous-même et vos associés ayez la certitude que les tropis ne sont pas des hommes, mais des singes?

VANCRUYSEN : Bien entendu.

JAMESON : Et d'où tenez-vous cette certitude?

VANCRUYSEN : Du rapport de Julius Drexler à l'Académie de Johannesburg.

JAMESON : Car l'éminent savant sud-africain a bien conclu, n'est-ce pas? qu'indubitablement les tropis appartiennent *(il insiste)* au genre animal?

VANCRUYSEN : Sans restriction.

JAMESON : Je vous remercie. *(À Minchett.)* Le témoin est à vous.

MINCHETT *(méprisant)* : Nous n'avons plus besoin de lui. *(Vancruysen rejoint le banc des témoins.)* Je vais lire à la Cour et à messieurs les jurés la conclusion du fameux rapport. *(Il brandit un papier.)* Et vous jugerez du crédit qu'il faut lui accorder! «La découverte du *Paranthropus*, écrit le sieur Drexler, vient heureusement balayer les notions simplistes que nous avions de l'homme, ou plutôt, écrit-il – écoutez bien –, des espèces diverses que nous englobions à tort dans ce mot unique. Plus de doute désormais : l'unicité de l'espèce humaine n'existe pas. Seule existe une échelle d'hominidés au sommet de laquelle, unique homme véritable, est l'homme blanc. Au-dessous, aboutissant au *Paranthropus* et au chim-

panzé, n'existent que des anthropoïdes, abusivement dits humains. » Vous avez entendu, messieurs!... Et il conclut : « La première question à poser est donc, dès aujourd'hui : les
155 nègres sont-ils des hommes ? » Cette question abominable, mesdames, messieurs du Jury, a été bien entendu reprise avec enthousiasme, et avec les gros titres que vous imaginez, par tous les journaux d'Afrique du Sud, de Rhodésie et même par certains pays d'Amérique du Nord, en Géorgie et en
160 Alabama. Est-ce à cela que la défense veut en venir ? Est-ce à faire approuver par un tribunal britannique, pour sauver la tête d'un assassin, une thèse aussi révoltante, immonde, et criminelle ?

JAMESON : Non, ce n'est pas cela. C'est même tout le
165 contraire.

JUSTICIER DRAPER : Alors, maître, que voulez-vous dire ? Nous attendons vos précisions.

JAMESON : Nous voulons montrer, Votre Honneur, que l'essentiel dans ce procès ce n'est pas le sort de mon client ni de
170 quelques malheureux tropis. Mais le destin peut-être de nombreux petits peuples sans défense, que l'on s'apprête, vous l'avez entendu, à réduire de nouveau en esclavage. La menace est pressante en Australie, elle pèse en Afrique du Sud, de proche en proche elle pourrait bien remonter jusqu'à nous et nos tra-
175 vailleurs immigrés ! Seul peut encore anéantir ces projets monstrueux ce qui se décidera ici. Et ce qui se décidera ici, si mon client l'obtient, il se pourrait que ce fût au prix de son honneur

et de sa vie. Il le sait et l'accepte. Et voilà, *my lord*, les choses comme elles sont, en vérité.

Il se rassoit.

JUSTICE DRAPER *(après avoir considéré Douglas, d'une voix douce)* : Mademoiselle Sybil Greame voudrait-elle revenir à la barre ? *(Sybil s'avance.)* Devons-nous décidément comprendre, mademoiselle, que l'apparition parmi nous de ces pauvres tropis a si bien bouleversé les notions généralement admises de l'espèce humaine, que, entre l'homme et l'animal, il n'existe vraiment plus de frontière précise ? Que, pouvant la faire passer désormais où cela paraît commode, rien n'empêche plus certains gouvernements cruels, s'ils le décident ainsi, de rayer d'un coup de plume, de leur population, n'importe quel peuple de couleur ?

SYBIL *(un peu piquante)* : Et pourquoi de couleur, *my lord* ? Cette discrimination pourrait tout aussi bien se retourner contre les Blancs, le jour où ils perdraient leur suprématie.

JUSTICE DRAPER : Comment, que voulez-vous dire ?

SYBIL : Que le racisme, c'est la loi du plus fort, rien d'autre. Et que le jour où les peuples d'Asie ou d'Afrique le deviendront, les plus forts, ils pourront tout aussi bien nous rendre la pareille.

JUSTICE DRAPER *(ébahi et choqué)* : Et pour nous dominer, prétendre que nous sommes, NOUS ! les Anglais, plus près du singe ?

SYBIL *(amusée, ironique)* : Et pourquoi non, *my lord* ? Ce ne

serait pas sans motif. Le Noir du Sénégal se tient plus droit,
205 plus noblement que nous. Le squelette du Chinois est plus
délié, plus raffiné. L'Hindou a le système pileux moins déve-
loppé. Si nous sommes les moins forts, ce sera bien leur tour de
nous traiter en espèce inférieure, en simples hominidés.

JUSTICE DRAPER *(grattant fougueusement sa perruque)* : Oh!
210 oh! Alors il faudrait sans tarder établir où elle passe, cette frontière, et empêcher ainsi toute contestation!

SYBIL : C'est certainement souhaitable, *my lord*; seulement...

JUSTICE DRAPER : Ne pourrions-nous vous demander, made-
215 moiselle, ainsi qu'à monsieur votre père et à d'autres anthropologues de toutes nationalités, de se mettre d'accord sur une
définition zoologique de l'espèce humaine, après quoi vous
reviendrez à cette barre nous apporter vos conclusions?

KREPS *(à son banc et se frappant la cuisse)* : Je vous la souhaite
220 bonne et heureuse, *my lord*! Vous aurez de vrais cheveux blancs
avant que vos anthropologues...

JUSTICE DRAPER *(l'interrompant du marteau puis à Sybil)* :
Est-ce donc si difficile?

SYBIL : Pas difficile, mais arbitraire, *my lord*. La nature ne
225 classifie jamais. C'est nous qui le faisons, par commodité. Afin
de nous y retrouver un peu. Mais chacun le fait à son idée.
Alors, il vaudrait mieux tirer au sort, cela irait plus vite et ce ne
serait pas moins exact.

MINCHETT : Par exemple! N'êtes-vous pas, mademoiselle, en

train de jeter le trouble dans l'esprit des jurés de façon malicieuse et de propos délibéré ?

GREAME *(de son banc)* : Non ! Laissez-la tranquille. Elle a parfaitement raison.

JUSTICE DRAPER : Voulez-vous vous approcher, monsieur Greame ? *(Greame vient à la barre.)* Voulez-vous dire, monsieur, mademoiselle, que nous devrons laisser sans réponse les prétentions exorbitantes du professeur Drexler ?

GREAME : Voyez-vous, *my lord,* quand il y avait un trou béant entre la brute humaine la plus bornée et le grand singe le plus intelligent, l'abîme entre les deux était si large qu'une molaire de plus, une vertèbre de moins ne faisait pas douter que la brute appartînt à l'espèce humaine. La chance nous souriait, à nous les anthropologues, la chance qui avait voulu que se fussent éteintes, depuis l'ère tertiaire, toutes les espèces intermédiaires. Nous étions bien tranquilles. Mais voici que cette créature intempestive vient tout remettre en question ! Le fossé est comblé, toute frontière est effacée. Entre un docteur et un orang-outang, bien entendu, personne n'hésitera. Mais entre le macaque et le chimpanzé, entre le chimpanzé et l'australopithèque, entre ce demi-singe et le sinanthrope, entre le sinanthrope et le tropi, entre le tropi et l'homme de Heidelberg[1], entre cette ébauche d'homme et le Négrito, enfin entre le Négrito et vous, *my lord,* – et j'en passe – la différence zoologique est à peu près la même...

---

1. Ville d'Allemagne, où fut decouvert le plus vieux reste humain d'Europe (une mâchoire).

255   SYBIL *(à Minchett)* : ... De sorte que, si vous pouvez nous dire, cher procureur, où finit l'animal, où commence l'homme, vous nous rendrez un fier service !

MINCHETT : Et moi je dis, mademoiselle, que pour sauver la tête de votre amant vous trompez le jury ! Beaucoup d'anthro-
260   pologues ne pensent pas comme vous. J'en connais au moins un qui a sur les tropis une opinion précise. Et vous allez l'entendre !

JAMESON : Et j'en ai un aussi qui attend de comparaître.

JUSTICE DRAPER : Eh bien, pour une fois, voici donc d'accord
265   la défense et l'accusation. Marquons ce jour d'une pierre blanche. *(Aux témoins.)* Nous vous remercions, vous pouvez vous retirer. *(Greame et Sybil quittent la barre. À Minchett.)* Le nom de votre expert ?

MINCHETT : C'est le professeur Knaatsch, du Collège royal
270   de paléontologie. Une sommité dans sa branche.

JUSTICE DRAPER *(à l'huissier)* : Introduisez le professeur.

L'HUISSIER : Professeur Knaatsch ! *(Pas de réponse. À pleine gorge.)* Professeur Knaatsch !!

KNAATSCH : Hé ? C'est moi ? On m'appelle ? Quoi ? Quoi ?
275   L'HUISSIER : Veuillez entrer et venir à la barre !

Entre un petit homme tout agité de tics, cheveux blancs en broussaille, la main presque constamment en cornet à l'oreille.

KNAATSCH *(à la barre)* : Bon, me voilà. Hé ? Hein ? Qu'est-ce qu'on veut savoir ?

280   JUSTICE DRAPER : Professeur Knaatsch, nous voudrions...

KNAATSCH *(sans attendre)* : C't idiot tout ça ! Quoi ? Quoi ? Si ces êtres-là sont des hommes ? Bien sûr qu'ce sont des hommes ! Ils font du feu, non ? Ils marchent debout, non ? N'y a qu'à regarder leur astragale[1] ! V's avez déjà vu des singes avec un astragale comme ça ? Vais pas vous le décrire, comprendriez pas. C't un os du pied, dans la cheville. Et rien que c't astragale, est-ce que ça ne suffit pas ? Hein ? Quoi ? Z'ont un orteil de singe ? Et alors ? Nous n'avons pas un appendice ? Ça nous sert à quoi ? Et l'morceau de tympan quand nous étions poissons des profondeurs, ça nous sert à quoi ? Vos espèces de tropis d'vaient encore vivre dans les arbres il n'y a pas longtemps, à peine quatre ou cinq cent mille ans, mais maintenant n'y vivent plus : marchent debout, comme nous. Des souvenirs du singe, on en a tous ! Regardez, les enfants qui apprennent à marcher *(il quitte la barre pour démonstration)* marchent encore sur le bord extérieur de la plante du pied, comme l'orang-outang. Ce sont des singes, alors ? Regardez le gros orteil des Veddahs[2] actuels : s'articule en varus[3] à pouvoir vous ramasser par terre une épingle de nourrice ! Sont pas des hommes alors ? C't idiot, c't idiot ! Faudrait s'entendre sur c'qu'on appelle un homme ! Les hommes de Ngandoeng, à la fin du tertiaire, qu'est-ce que c'était ? Et l'homme de Guinée ? Un crâne comme le vôtre et le

---

1. Os du pied, appartenant au tarse postérieur et formant avec le métatarse le squelette du pied.
2. Groupes aborigènes de l'est du Sri Lanka, à caractères physiques australoïdes. Ils vivent de chasse et de cueillette. Ils sont environ six mille.
3. Qualifie le pied, le genou, la cuisse ou la main, quand ils sont tournés « en dedans ». S'oppose à *valgus* (« en dehors »).

mien, Votre Honneur, sauf votre respect ; mais une mandibule et des dents de gorille. Et l'autre, qu'on appelle Shkul Cinq,
305 avec son tout petit menton, ses toutes petites molaires, mais une visière sus-orbitaire comme un casque de pompier ! Vous en sortirez pas. La station droite, voilà l'homme ! Par conséquent, la forme de l'astragale, dans la cheville, qui soutient tout : étroit et mince, c'est un singe ; épais et large, c'est un
310 homme. Voilà, c'est simple, non ? L'astragale, tout est là. Le reste, pas la peine d'en parler. C't idiot, tout ça. Quoi ? Quoi ?

La main à l'oreille, en cornet, il tend vers le tribunal son visage secoué de tics.

JUSTICE DRAPER : La défense a-t-elle des questions à poser ?
315 JAMESON : Nous souhaitons plutôt entendre tout de suite le professeur Eatons, une sommité aussi, du Collège d'histoire naturelle.

JUSTICE DRAPER : Bien. *(Au professeur Knaatsch.)* Nous vous remercions, professeur.
320 KNAATSCH : Comment ? Comment ?

JUSTICE DRAPER *(plus fort)* : Nous vous remercions.

KNAATSCH : Quoi ? Quoi ? Y'a pas à me remercier. *(À l'huissier qui lui touche l'épaule.)* Hé ? Hein ?

Il suit l'huissier qui le mène à son banc.
325 JUSTICE DRAPER : Introduisez le professeur Eatons.

L'HUISSIER : Professeur Eatons !

Entre un homme grand, calme, souriant, hautain.

JAMESON : Vous connaissez, professeur, les conceptions de

votre confrère, le professeur Knaatsch, qu'il vient de nous expo-
ser. Partagez-vous son opinion ?

EATONS *(accent oxfordien, apprêté)* : L'étude du professeur
Knaatsch sur la structure comparée des astragales du chimpanzé, de l'australopithèque et d'une femme japonaise est de
celles, assurément, qui font autorité. Il est à craindre, cependant, qu'il n'en ait tiré des conclusions imprudentes. En fait,
j'ai le regret d'assurer la Cour qu'elle vient d'entendre un très
grand nombre de sottises. La théorie du professeur Knaatsch
suppose, en effet, que nos ancêtres arboricoles et pédimanes
auraient lentement muté en bipèdes et bimanes après leur
migration hors de leur habitat sylvestre[1]. Mais les index zoo-
métriques dernièrement fournis en anatomie comparée nous
montrent, au contraire...

JUSTICE DRAPER *(après un coup d'œil sur le Jury)* : Ne pourriez-
vous, professeur, user d'un langage un peu plus accessible au
profane ?

LE PRÉSIDENT DU JURY : Oui, s'il vous plaît.

EATONS *(avec insolence, après lui avoir jeté un regard méprisant)* : Je disais que... selon cette théorie... nos grands-pères
vivaient dans les arbres, comme les singes... et comme eux
avaient quatre mains... pour pouvoir se suspendre aux branches.
(Geste.) N'est-ce pas. Puis ils en descendirent pour chasser, et
peu à peu leurs mains devinrent des pieds, pour mieux marcher
sur le sol dur. N'est-ce pas. Des pieds épais avec cet astragale

---

1. Forestier.

dont le professeur Knaatsch nous rebat les oreilles. C'est la théo-
355 rie de Lamarck. N'est-ce pas. Malheureusement pour lui, c'est le
contraire qui s'est produit, toutes les recherches récentes sont là
pour le prouver. Elles montrent que le pied de l'homme, loin
d'être en progrès sur celui du singe, est tout à l'opposé beaucoup
plus primitif dans son plan et sa structure. Nous le tenons direc-
360 tement des pesants tétrapodes[1] de l'ère tertiaire. En un mot, il
est beaucoup plus ancien. Tandis que la podologie[2] du singe –
ses pattes de derrière – est apparue beaucoup plus tard ; quand
ce sont les premiers lémuriens – ouistitis – qui se sont mis à vivre
dans les arbres, à l'inverse, précisément, de ce que l'on vient de
365 nous dire. N'est-ce pas. Il s'ensuit que l'espèce humaine, aux
pieds épais comme ceux de ses lointains ancêtres tétrapodes, n'a
jamais vécu dans les arbres, contrairement à ce qu'on veut nous
faire croire. Et ainsi les tropis, possédant quatre mains, ne sont
pas, ne peuvent pas être sur notre lignage. Et même si parfois ils
370 se tiennent debout, ils ne sont pas, ils ne peuvent pas être des
hommes. Ce sont des singes.

JUSTICE DRAPER : En résumé, si la Cour vous a bien compris,
selon vous les tropis se trouveraient tout au bout d'une lignée
de singes très évolués, et non tout au début d'une lignée
375 humaine encore très primitive ?

EATONS : C'est exactement cela. Ils font du feu, ils taillent la

---

1. Vertébrés dont le squelette comporte deux paires de membres apparents (mammifères) ou non (reptiles).
2. Étude du pied.

pierre et fument leur gibier ? Mais le grand sinanthrope en faisait tout autant et il suffit d'observer les tropis un moment pour constater que leur instinct répond, comme tous les animaux, à tel ou tel stimulus extérieur et non à la raison logique. Non, voyez-vous, *my lord*, le nom de *Paranthropus* qu'on leur a donné leur convient à merveille : ils ressemblent à des hommes, mais ce ne sont pas des hommes.

Depuis un bon moment, Knaatsch dresse le doigt, en claquant du pouce comme au collège.

MINCHETT : La Cour autorise-t-elle le professeur Knaatsch à répondre ?

JUSTICE DRAPER : Certainement. Voulez-vous, professeur...

KNAATSCH *(sans attendre)* : C't inouï ! C't inouï ! Un stimulus ! Qué qu'ch'est qu'cha, un stimulus ? Tout est un stimulus ! Même la raison logique est un stimulus ! Faut bien qu'elle vienne de quéque chose, non ? Ce n'est pas le Père Noël, non ? Chimie du cerveau, tout ça ! Stimulus, instinct, intelligence, des mots, tout ça ! Une seule chose compte : c'qu'on fait, c'qu'on n'fait pas. Faisait du feu l'sinanthrope ? Parce que on a trouvé des cendres avec ses os ? C'était-y pas plutôt que d'vrais hommes l'avaient fait cuire pour le manger ? Et puis, c'était p't-être un homme, pourquoi pas ? Montrez-moi son astragale, et j'vous l'dirai. Bon sang, m'sieur l'professeur Eatons, v's avez jamais lu Aristote ? Qu'est-ce qui fait l'homme ? C'est la pensée. Qui a fait la pensée ? C'est l'outil. Et l'outil ? C'est la main. À quatre pattes, pas de mains, non ? Et pas de mains, pas de pensée. Donc, la pensée *(il se frappe le crâne)*, c'est la station droite. Par conséquent qui a fait la pensée ? *(Il se frappe la cheville.)* C'est l'astragale. Pas à sortir de là. C't inouï ! C't inouï !

EATONS : Mon distingué collègue semble oublier le principal. Sur les mille soixante-cinq caractères anatomiques relevés par Keith sur l'homme et les diverses espèces de singes, sept cent cinquante sont communs à tous ; un peu moins de trois cents sont particuliers à ce que nous nommons l'*Homo sapiens*. Donc, qu'il manque un seul de ces caractères spécifiques, serait-ce un seul tendon, une seule vertèbre, et nous n'avons plus affaire à l'homme proprement dit.

KNAATSCH : Dites donc, dites donc, alors, et l'homme de Neandertal[1] ?

EATONS : Il n'était pas du type *Homo sapiens*. On l'appelle homme faute de mieux.

KNAATSCH : Et alors, les Veddahs, les Pygmées[2], les Tasmaniens[3], les Boschmans[4] ?

EATONS *(haussant les épaules)* : Eh bien ?

KNAATSCH : Ma parole, professeur, est-ce que vous ne seriez pas d'accord, par hasard, avec la thèse infâme de Julius Drexler[5] ?

---

1. Hominidé dont on a découvert le crâne (en 1856) dans la vallée qui porte ce nom (région de Düsseldorf). Sous-espèce d'*Homo sapiens*.
2. Peuple de la forêt équatoriale africaine réparti en plusieurs ethnies (Zaïre, Congo, Gabon, Rwanda). Ils sont environ cent mille, vivent de chasse et de cueillette, en petits groupes nomades.
3. Habitants de la Tasmanie, île colonisée par l'Angleterre (1804), qui fait partie aujourd'hui du Commonwealth australien.
4. Les Boschimans sont un peuple d'Afrique australe, l'un des plus anciens du continent installé depuis le paléolithique.
5. Nom inventé par Vercors, qui évoque peut-être celui de Julius Huxley (petit-fils de l'écrivain Aldous Huxley), biologiste partisan des thèses évolutionnistes sur lesquelles s'appuient les racistes.

EATONS *(toujours froid)* : Que voulez-vous, l'égalité entre les hommes est sans doute un beau rêve. Mais un biologiste n'a pas le droit de rêver, sinon à la rigueur après huit heures du soir. Et si la zoologie nous montre, en définitive, que le seul homme véritable, c'est l'homme blanc, s'il doit apparaître que ce qu'on appelle l'homme de couleur n'est pas réellement un homme, assurément nous le regretterons, mais nous devrons nous incliner.

MINCHETT : C'est incroyable ! Et la charte des Nations Unies ?

EATONS : Nous ne pouvons pas, n'est-ce pas, même en vertu des *Droits de l'homme*, changer l'anatomie. C'est donc avec l'anatomie qu'il faudra conformer les *Droits de l'homme*. Et si nous avons eu le tort d'émanciper, sur de fausses notions, les groupes ethniques inférieurs...

JUSTICE DRAPER *(l'interrompant d'un coup de marteau)* : Professeur ! Vous étiez appelé à témoigner et non à propager dans cette enceinte des théories qui ne seraient que déplaisantes si dans le passé elles ne s'étaient montrées, de surcroît, criminelles.

EATONS : Je ne professe rien d'autre, *my lord*, que la zoologie.

JUSTICE DRAPER *(à Jameson)* : Avez-vous l'intention de poursuivre cet interrogatoire ?

JAMESON : Plus du tout, *my lord*.

JUSTICE DRAPER *(glacial)* : Vous pouvez vous retirer, professeur.

Eatons incline la tête et se retire. Knaatsch le suit sur ses talons.

KNAATSCH : C't inouï ! C't inouï ! Les tétrapodes de l'ère ter-

450 tiaire ! V's avez regardé leur astragale, aux tétrapodes de l'ère tertiaire ? Faudrait quand même pas prétendre...

Il est sorti, sa voix se perd au-dehors.

JAMESON : *My lord*, nous avons fait citer le Professeur Eatons,
connaissant ses opinions racistes. Ainsi, après ce qu'il vous a
455 dit, tout est clair, n'est-ce pas ? Car si le professeur a raison,
c'est que la zoologie a raison, et qu'il a raison d'être raciste.
Mais s'il a tort, Votre Honneur, s'il a tort, et qui en douterait ?
c'est que la zoologie a tort aussi. Et c'est ce que nous voulions
démontrer.

460 MINCHETT *(ironique)* : Que la zoologie a tort et que votre
client a raison ?

JAMESON : Que la zoologie est une science admirable quand
il s'agit des animaux ; mais qu'elle est détestable, qu'elle est
odieuse et humiliante quand on prétend nous l'appliquer. Que
465 racisme et zoologie, quand il s'agit des hommes, c'est blanc
bonnet et bonnet blanc. Que d'accepter seulement d'argumen-
ter avec un Eatons, un Drexler ou un Vancruysen, c'est
admettre déjà, puisqu'on discute, qu'ils peuvent peut-être avoir
raison. Et voilà, *my lord*, la leçon de cette confrontation, voilà
470 le but de ce procès *(violent)* : qu'on sorte enfin de la zoologie,
Votre Honneur, qu'on en sorte !

MINCHETT : Et que mettrez-vous à la place ?

JAMESON : Autre chose en tout cas que l'astragale, le nombre
des vertèbres ou le volume d'une mandibule... *(Au juge.)*
475 Honnêtement, *my lord*, croyez-vous, après avoir entendu se disputer ici, sans parvenir à s'accorder, ces éminents anthropo-

logues, que ce qui est humain dans l'homme puisse jamais être défini ni mesuré par la zoologie ?

JUSTICE DRAPER : Non, heureusement !

JAMESON : Comprenez-vous que, si l'accusé, *my lord*, a mis en jeu sa vie et son honneur, c'est afin qu'une bonne fois cela soit établi, démontré, attesté aux yeux de l'Angleterre, du monde entier ?

JUSTICE DRAPER *(regardant Douglas)* : Oui, et c'est sans doute un noble but, propre à mériter notre estime. Mais pour le reste avouez, maître, que votre client s'est mis dans une étrange situation. Car sans doute désire-t-il voir décider que ces braves tropis sont des hommes ? Mais alors, le voilà pendu !

JAMESON : Ce que Douglas Templemore, Votre Honneur, attend de ce procès, ce n'est pas, ce n'est plus que les tropis soient ceci ou cela. Ce qu'il attend, *my lord*, c'est que soit définie, et une fois pour toutes, sous l'autorité du tribunal, la nature de cette chose unique, mystérieuse, qui distingue tous les hommes du reste de la création, de cette chose impalpable que l'être le plus primitif, la brute la plus analphabète, bien que beaucoup plus proche par l'intellect du chimpanzé que d'Einstein, partage pourtant avec Einstein et que ne partage pas le chimpanzé. Qu'on l'appelle âme, l'esprit, ou tout ce qu'on voudra.

JUSTICE DRAPER : Oui... Oui... Oui... Et pour la découvrir, cette chose irremplaçable, c'est sur nous que compte votre client ?

JAMESON : Forcément, *my lord*.

JUSTICE DRAPER *(à Douglas, avec une pointe d'humour)* : Cette
505 confiance nous honore... Mais est-ce bien là vraiment le rôle d'un
tribunal ? Qu'en pensez-vous, monsieur le président du Jury ?

LE PRÉSIDENT DU JURY : Eh bien... ce que nous en pensons...
voyez-vous, *my lord*, pour y voir un peu clair, il nous semble
qu'il y manque l'essentiel à ce procès.

510 JUSTICE DRAPER : Ah... Et quoi donc, monsieur le président ?

LE PRÉSIDENT DU JURY : Les tropis, *my lord*. Pendant deux
longues audiences, Votre Honneur, on n'a fait, ici, que parler
d'eux. Sont-ils ci ? Sont-ils ça ? Sont-ils comme ci, sont-ils
comme ça ? Mais nous n'avons pas vu encore le bout de la
515 queue d'un seul. Le Muséum les cache soigneusement. À peine
si les journaux ont pu en publier quelques mauvaises photos.
Nous voudrions bien les voir, quand même !

JUSTICE DRAPER : Vous avez parfaitement raison, monsieur le
président. Mais le fait est que le tribunal est fort embarrassé
520 pour en introduire un dans cette enceinte, rien de tel n'ayant
été prévu par la jurisprudence. On ne peut le citer comme
témoin, si c'est un animal, et encore moins, si c'est un homme,
comme pièce à conviction. On n'en sort pas.

LE PRÉSIDENT DU JURY : Eh bien, si nous allions les voir ?

525 MINCHETT : Il serait contraire à l'usage que le Jury quitte la
salle d'audience !

JUSTICE DRAPER : Il y a des précédents.

MINCHETT : Pas à ma connaissance.

JUSTICE DRAPER : Après l'attentat du « VICTORY », vu la difficulté de produire au tribunal une preuve de cent mille tonnes, le jury s'est transporté sur le navire.

MINCHETT : C'était un tribunal maritime. Old Bailey n'a jamais rien vu de semblable.

JUSTICE DRAPER : Eh bien, ma foi, il le verra. *(Au président.)* La Cour fait droit à votre requête, monsieur le président, et décide de se transporter avec vous devant les spécimens du *Paranthropus erectus*. Huissiers, veuillez conduire le Jury. *(Aux avocats.)* Messieurs, suivons-les. *(Au public.)* L'audience est suspendue.

Noir sur le tribunal, lumière sur l'avant-scène. Puis les jurés, conduits par l'huissier et suivis par le juge et les avocats, entrent côté jardin et passent en procession. Ils parlent entre eux avec animation, leurs voix se mêlent indistinctement, seuls se surprennent çà et là quelques mots : « Enfin, on va les voir ces bestioles... l'effet qu'elles vont nous faire... Mais pas du tout... quand l'avocat disait... Monsieur, vous êtes obsédé... Ne riez pas... Moi, si on m'avait... », *etc. Ad libitum*[1]. *Exit. Côté cour.*

---

1. Aussi longtemps que l'on veut.

NEUVIÈME TABLEAU

Au Muséum. Tribunal invisible. Une grille est roulée en avant de la scène. Des hommes d'aspect simiesque, mais vêtus en gardiens, regardent vers l'intérieur, dos au public. Les jurés, entrant côté jardin, les aperçoivent et s'arrêtent, intimidés.

JUSTICE DRAPER *(les détrompant)* : Non, non, ceux-là, ce sont les gardiens...

Il conduit les jurés vers la grille, et l'on comprend alors que les tropis, s'ils étaient là, seraient à la place des spectateurs. Les jurés 5 *examinent ceux-ci les yeux ronds. Longue perplexité. Le juge a pris discrètement du champ, ainsi que les deux avocats.*

UN JURÉ PRESBYTÉRIEN *(comme malgré lui)* : C'est saisissant.

LE PRÉSIDENT DU JURY *(même ton)* : Jamais je ne me serais figuré...

10 UNE PETITE DAME QUAKER : C'est aussi qu'on leur a mis des habits, pourquoi ? Pour la décence ? C'est quand même tricher, non ?

UN EX-COLONEL DES INDES : C'est vrai... Savoir comment ils sont là-dessous ? Tenez : moi j'avais au Bengale un jeune gorille 15 que j'habillais en indigène pour nous servir le thé. Eh bien, aucune de nos *ladies* n'a jamais pris garde à la différence.

UN JURÉ MOUSTACHU : Ça ne m'étonne pas d'elles.

LE PRESBYTÉRIEN : Moi non plus ; et que serait-ce si, au lieu d'un gorille, ç'avait été un de ces tropis ?.... *(Il les regarde.)* C'est vraiment saisissant... On croirait avoir affaire à des hommes véritables.

LA DAME : Non, non. Des hommes? C'est impossible.

LE PRESBYTÉRIEN : Et pourquoi donc?

LA DAME : Regardez leurs oreilles. De gentilles oreilles, je veux bien, mais quand même, toutes ces paires d'oreilles, ça n'a rien d'humain, ça...

LE MOUSTACHU : Peut-être, mais les yeux! Il y a quelque chose derrière ces yeux.

LA DAME : Oh, beaucoup moins que dans ceux de mon chat.

LE MOUSTACHU : Si, si. Il y a une pensée. Très vague encore et très obscure, sans doute; mais quand même une pensée.

LA DAME : Moi, quand mes chiens me regardent, j'y vois mieux qu'une pensée : la tendresse et l'amour.

LE MOUSTACHU : L'affection, c'est pas une pensée.

LE PRÉSIDENT DU JURY : L'embêtant, c'est qu'on ne voit pas leurs pieds, enfin leurs mains, dans ces chaussures. Peut-être que ça changerait tout?

LE MOUSTACHU : Non, parce que moi ma conviction est faite; et ce n'est pas la forme de leurs oreilles, de leurs orteils ou de leur astragale qui me feront dire le contraire. Et moi, je dis que ces animaux-là, ce sont des hommes comme vous et moi.

LA DAME : C'est de la diffamation! Des petites bêtes si douces, si gentilles! Avez-vous jamais vu des hommes aussi tranquilles, inoffensifs? Peutits... peutits... peutits... Regardez comme ils sont contents...

LE MOUSTACHU : Et moi, je dis que ce Templemore, il a assassiné son fils, voilà tout. Et que, s'il devient permis d'aller noyer ses gosses comme des chiots, c'en est fini de l'Angleterre. Alors je suis, moi, pour qu'on le pende...

50   LA DAME : Pendre ce gentil garçon ? Vous êtes sadique ou quoi ?

LE PRÉSIDENT DU JURY : Allons, allons !... Puis-je me permettre de dire que nous faisons fausse route ? On nous a bien montré que ce ne sont ni leurs pieds ni leurs yeux qui peuvent
55   nous permettre de nous prononcer. La Couronne a raison : que sont ces créatures d'un point de vue légal ? Voilà la question, à mon avis.

UN GENTLEMAN TRÈS DISTINGUÉ *(ironique)* : Et que sont-elles, selon vous, de ce point de vue légal ?

60   LE PRÉSIDENT DU JURY *(au juge)* : Peut-être Votre Honneur voudra-t-il nous aider à répondre ?

MINCHETT : Un moment. *(Il attire le juge.)* Votre Honneur, une discussion hors du prétoire serait contraire à toutes nos traditions.

65   JUSTICE DRAPER : Il n'est pas toujours bon de les suivre à la lettre.

MINCHETT *(choqué)* : Je ne comprends pas, Votre Honneur !

JUSTICE DRAPER *(agacé)* : Je m'en ferai une raison.

MINCHETT *(ulcéré)* : Si vous le prenez ainsi, je ne saurais
70   demeurer plus longtemps. Je me retire pour rédiger mes conclusions !

JUSTICE DRAPER : Mais faites, mon cher, faites, je vous en prie.

Minchett sort furieux. Le reste de la discussion se fera en passant de préférence non plus derrière mais devant la grille.

JAMESON *(souriant)* : Décemment, Votre Honneur, me voici obligé de me retirer aussi.

JUSTICE DRAPER *(même jeu)* : Oh, vous savez, au point où nous en sommes... Je suis en train d'accumuler les vices de forme, mais vous avez raison, n'exagérons pas. *(Exit Jameson. Draper revient aux jurés groupés et discutant.)* Eh bien, je vous écoute, monsieur le président.

LE PRÉSIDENT DU JURY : Voilà. Si vous pouviez, *my lord*, simplement nous rappeler... quoi, la définition de l'homme, la définition ordinaire, enfin, la définition légale, juridique ?

JUSTICE DRAPER *(après quelques secondes)* : Ma foi, c'est assez simple : dans la loi britannique, une telle définition n'existe pas.

LE PRÉSIDENT DU JURY : J'ai dû mal me faire comprendre. Nous sommes bien quelque chose, *my lord*, légalement parlant.

JUSTICE DRAPER : Vous êtes... commerçant ou notaire... marié ou célibataire... contribuable... abonné au gaz...

LE PRÉSIDENT DU JURY : Bon. Mais comme hommes tout court ?

JUSTICE DRAPER : Sujets de Sa Majesté...

LE PRÉSIDENT DU JURY *(s'énervant)* : Mais non ! Anglais, mandchous[1], champions de boxe ou académiciens, ça nous est

---

1. Peuple de Mandchourie, région du nord-est de la Chine.

bien égal ! Nous demandons comme HOMMES, nom d'un pétard !

JUSTICE DRAPER : Rien. La loi ne le dit pas.

100   *Perplexité.*

LE PRÉSIDENT DU JURY : Enfin, c'est incroyable !... Faut-il comprendre, *my lord*, que l'on a pensé a tout, à fabriquer des lois sur tout et sur le reste, qu'on a tout promulgué, édicté, enregistré, réglementé, même les plus petites choses, sauf...

105 quoi ! *(il se frappe le sternum)* justement nous-mêmes ?

JUSTICE DRAPER : C'est peut-être incroyable, en effet, et pourtant c'est ainsi. Vous m'en voyez surpris comme vous.

LE PRÉSIDENT DU JURY : Mais alors... n'est-ce pas comme si l'on n'avait pensé à rien ? Comme si l'on avait mis un tas de

110 charrues avant les bœufs ? Parce qu'enfin, *my lord*, si les hommes ne savent pas ce qu'ils sont, comment diable peuvent-ils s'entendre sur ce qu'ils veulent ?

JUSTICE DRAPER : Ma foi, c'est bien pourquoi sans doute ils s'entendent si mal. Et vous avez raison, monsieur le président.

115 Pour pouvoir dire de l'accusé s'il est innocent ou coupable, d'abord faut-il savoir si ces tropis sont ou ne sont pas des hommes ; mais comment le savoir tant que n'est pas défini exactement ce qu'est un homme ? Exactement et légalement. Et puisque ce n'est pas fait, voici donc votre tâche, mes amis, pour

120 commencer.

LE PRÉSIDENT DU JURY : À nous, *my lord* ?

JUSTICE DRAPER : Et à qui d'autre ? Puisque ce n'est pas fait.

LE PRÉSIDENT DU JURY : Mais comment voulez-vous, *my lord*, que nous...

LE PRESBYTÉRIEN : Permettez, Votre Honneur, mais c'est fait. Et même très bien fait.

LE PRÉSIDENT DU JURY : Ha-ha ! Vite, dites-nous cela.

LE PRESBYTÉRIEN : Il y a longtemps déjà que Wesley a montré ce qui distingue l'homme de la bête...

LE MOUSTACHU *(l'interrompant)* : C'est la Raison.

LE PRESBYTÉRIEN *(fort)* : Ce n'est pas la Raison trop sujette à l'erreur, c'est que nous sommes formés pour connaître Dieu et que les bêtes ne le sont pas.

LA DAME : Et comment savons-nous si les bêtes ne connaissent pas Dieu à leur manière ? J'avais un perroquet...

LE MOUSTACHU : D'ailleurs, moi, je proteste. Je m'en tiens au vieux Francis Bacon[1]. Bonne ou mauvaise, la Raison c'est la Raison et je ne sors pas de là.

LE PRESBYTÉRIEN : Je dois vous prévenir, *my lord*, que, si le Jury devait adopter une formule où serait absente l'idée de Dieu, je me récuserais immédiatement et quitterais le tribunal.

LE MOUSTACHU : Et moi aussi si ce devait être encore une de vos damnées bondieuseries !

LA DAME : Eh bien, c'est gai, nous voilà bien partis.

LE PRÉSIDENT DU JURY : Allons, allons, du calme et procédons par ordre. L'un est pour Dieu, l'autre pour la Raison. Il doit bien exister un moyen terme ?

---

1. Homme d'État et philosophe anglais (1561-1626). Il préconisait une approche scientifique dans la recherche des causes naturelles des faits.

LE COLONEL EN RETRAITE : Pour sûr. Et simple comme bonjour.

150   LE PRÉSIDENT DU JURY : Ah ! Et lequel ?

LE COLONEL EN RETRAITE : Les perversions sexuelles.

LE PRÉSIDENT DU JURY : Tiens ! J'avoue que je ne vois pas...

LE COLONEL EN RETRAITE : Le moyen terme est pourtant bien visible. Dieu partage tous les êtres en mâles et en femelles. 155 Pas d'exception chez l'animal. Seuls l'homme et la femme, parce que doués de raison, savent se passer de l'autre sexe.

LE PRESBYTÉRIEN : Seulement pour des plaisirs pervers ! Pour le péché !

LE COLONEL EN RETRAITE : Mais non, pas seulement ; mainte 160 société brillante ne fut-elle pas fondée sur la pédérastie ?

LE MOUSTACHU : Mais ce qui distingue l'homme à vos yeux, colonel, sont-ce les sociétés brillantes, ou est-ce la pédérastie ? Car j'ai le regret de vous informer, si vous ne le savez pas, qu'étant éleveur de volailles j'ai maintes fois observé que les 165 ménages homosexuels sont chose courante chez les canards.

LA DAME : Quelle horreur ! Et c'est dégoûtant. Non, moi je vais vous la dire, la différence : c'est que les animaux sont bons et que les hommes sont méchants, voilà.

LE COLONEL EN RETRAITE : Et le tigre du Bengale, vous le 170 trouvez bon ?

LE PRESBYTÉRIEN : Et saint François d'Assise, vous le trouvez méchant ?

LA DAME : Ce sont des exceptions.

LE MOUSTACHU : Stupidités. Animal raisonnable, voilà l'homme, et je n'en démords pas !

LE PRESBYTÉRIEN *(agressif)* : Car combien raisonnable, n'est-ce pas, de tirer le canon pour s'entretuer !

LE MOUSTACHU : Et combien chrétien et charitable de brûler les gens sur des bûchers !

LE PRESBYTÉRIEN *(crescendo)* : Je n'en démordrai pas non plus. L'homme, c'est la foi en Dieu !!

LE MOUSTACHU *(même jeu)* : Connerie de sacristie ! L'homme, d'abord, c'est l'outil !!

LE PRESBYTÉRIEN : C'est son âme !!!

LE MOUSTACHU : Le travail !!!

LE PRESBYTÉRIEN : Une ascèse[1] !!!!

LE MOUSTACHU : Le social !!!!

LE PRESBYTÉRIEN : La méditation !!!!

Ils sont près d'en venir aux mains.

LE COLONEL EN RETRAITE *(intervenant)* : Allons, allons, ne vous disputez pas et je vais encore une fois vous mettre d'accord. Les canons, les bûchers, la guerre, l'église, le social et le reste, qu'est-ce que c'est ? L'Histoire. L'Homme et l'Histoire, c'est tout un : ce sont les hommes qui font l'Histoire mais c'est l'Histoire qui a fait l'Homme.

LE GENTLEMAN : D'où il ressort qu'aux temps préhistoriques nos aïeux n'étaient pas des hommes. Merci pour eux.

---

1. Ensemble d'exercices spirituels que l'on s'impose pour atteindre la perfection morale.

LE PRÉSIDENT DU JURY : Alors qu'est-ce que vous nous proposez ?

200 LE GENTLEMAN : L'art des cavernes. Les hommes meurent, les civilisations aussi. Que reste-t-il des peuples disparus, même des Égyptiens, des Grecs, des Romains ? Les œuvres des artistes. L'Histoire est un tombeau. L'Homme, c'est l'art. Le reste est silence.

205 LE MOUSTACHU : Très bien, mais l'art, alors, c'est quoi ? Définition ! Définition !

LE GENTLEMAN *(agacé)* : Pas besoin de définir l'art. Tout le monde sait ce que c'est.

LE MOUSTACHU : Alors pas besoin non plus de définir 210 l'homme. Tout le monde aussi sait ce que c'est.

LE GENTLEMAN : Je ne prétends pas autre chose.

LE PRÉSIDENT DU JURY : Oui, mais nous ne discutons pas pour constater que l'homme n'a pas besoin d'être défini, mais pour nous efforcer de le définir. *(Soupir. Au juge.)* Et nous voici 215 moins avancés, j'en ai peur, que nous ne l'étions au commencement.

Le juge acquiesce, perplexe. Tous reviennent à la grille et regardent déconcertés les spectateurs-tropis pendant que tombe le noir.

DIXIÈME TABLEAU

*La grille est enlevée. Le cabinet du juge Draper. Tribunal
invisible. Arthur et Lady Draper prennent le thé. Au-dessus
d'eux, les portraits d'anciens juges, en robe et grande perruque.
Sir Arthur a posé sur ses genoux un énorme volume
qu'il feuillette en croquant une beurrée.*

LADY DRAPER *(versant le thé)* : Vous avez une audience tout à
l'heure ?

DRAPER *(sans lever les yeux)* : Une audience ? Bien entendu.

LADY DRAPER : Qu'est-ce que vous lisez-là ?

DRAPER : Le code Napoléon. *(Soupirant.)* C'est tout dire...

LADY DRAPER : Ce Buonaparte a toujours été très encom-
brant. Qu'est-ce que c'est, son Code ?

DRAPER : Le Droit français.

LADY DRAPER : Et qu'avez-vous à faire avec le droit français ?
Qu'est-ce que vous y cherchez ?

DRAPER : Une définition. Les Français sont très forts en définitions.

LADY DRAPER *(préparant des tartines)* : Je les trouve agaçants
pour ma part, avec ce soin maniaque de toujours mettre tous
les points sur les « i ».

DRAPER : Ce qui est encore plus agaçant, c'est quand, par
hasard, on cherche un de ces points maniaques qui pourrait
nous servir, et que celui-là, justement, ils ne l'ont pas mis. *(Il*

considère le gros volume avec perplexité, et le referme avec irrita-
20 *tion.)* C'est extraordinaire.

LADY DRAPER *(lui passant les tartines)* : Qu'est-ce qui est extraordinaire ?

DRAPER : Voici un monument de logique minutieuse ; où les
lois s'emboîtent les unes dans les autres, à partir des *Droits de*
25 *l'homme et du citoyen,* avec la précision d'un mouvement d'hor-
loge ; où la moindre des choses est définie et codifiée, même le
propriétaire de l'œuf que la poule a pondu dans le champ du
voisin...

LADY DRAPER *(intéressée)* : Oh, vraiment ?

30 DRAPER : ... mais l'homme et le citoyen lui-même, eh bien,
ils n'en disent rien. N'existe pas, faut croire. N'est-ce pas
incroyable ?

LADY DRAPER : Et qui est-ce, en définitive ?

DRAPER : L'homme et le citoyen ?

35 LADY DRAPER : Mais non : le propriétaire de l'œuf ?

DRAPER : Le... propriétaire de la poule. Non !... c'est celui du
champ... Non !... Ma foi, le fait est que j'ai oublié.

LADY DRAPER : Dommage. N'est-ce pas celui qui l'a trouvé ?

DRAPER : Mais ça ne vous paraît pas invraisemblable ?

40 LADY DRAPER : Mais non, s'il l'a trouvé, c'est bien naturel
que...

DRAPER : Je dis : qu'on s'intéresse à l'œuf plus qu'à l'homme ?
N'est-ce pas ce que nous faisons, tous tant que nous sommes ?
C'est inimaginable. Tenez, on ne sait même pas ce que c'est au
45 juste qu'un langage, on nous l'a bien montré à l'audience. Ça

n'empêche pas les cuistres[1] de disputer sans fin de mots coupés en quatre. Sait-on pourquoi l'on fait de la peinture, de la littérature ? Et l'on dispute d'abstrait et de figuratif, d'anti-roman, de pièce à thèse, on préconise et l'on condamne sans jamais se référer à ce que nous sommes, que nous ne savons pas ! Moi-même, tenez, qu'est-ce que je fais ? Sinon d'appliquer des tabous[2], comme les sauvages. Ça c'est permis ; et ça c'est défendu. Boum ! Mais nos lois, sur quoi sont-elles fondées ? Sur quelle base irréductible de ce qui fait que l'homme est homme ? Macache[3]. Pas de réponse. Personne n'en sait rien et, bien mieux, personne ne s'en soucie. Comme s'il y avait dans le fait d'exister une sorte d'évidence qui nous tiendrait quittes de nous définir. Comment ?

LADY DRAPER *(lui reversant du thé)* : Rien. Je n'ai pas parlé.

DRAPER : Au tribunal, d'un côté me voilà, moi ; dont je pense : je suis juge, je dois rendre des jugements exacts. Et en face, c'est l'accusé. Mais lui et moi, qu'est-ce que nous sommes ? Et si je ne le sais pas, de quel droit le juger ?

LADY DRAPER : Mais vous jugerez quand même ce jeune Templemore. Pourtant vous savez bien qu'il n'a tué, en somme, qu'une petite bête.

DRAPER : Mais au contraire, personne ne peut dire encore, justement...

---

1. Individus pédants, prétentieux et ridicules.
2. Système d'interdictions de caractère religieux. Le mot est d'origine polynésienne ; (*tapu* : « interdit » ou « sacré »).
3. Adverbe d'origine arabe qui signifie « rien du tout » (de *makans* : « il n'y a pas »).

LADY DRAPER : Mais voyons, tout le montre bien.

70   DRAPER : Quoi ? Qu'appelez-vous « tout » ?

LADY DRAPER : Est-ce que je sais ? Cela se voit tout seul, non ?

DRAPER *(ébahi)* : Ça par exemple... Quoi, qu'est-ce qui se voit ? Vraiment, je suis stupéfait...

75   LADY DRAPER : Est-ce que je sais ? Par exemple, tenez, ces tropis, ils n'ont même pas de gris-gris au cou.

DRAPER : Des gris-gris ! Quelle idée ! Est-ce que vous portez des gris-gris, vous ?

LADY DRAPER : Bien sûr, je pense que j'en porte. Notre
80   anneau de mariage, par exemple... Et cette broche que je me suis achetée chez Freedham and Peabody. Avez-vous jamais regardé une vitrine de Freedham and Peabody ? N'est-ce pas plein de gris-gris ?

DRAPER *(amusé)* : Oui, ça... je reconnais...

85   LADY DRAPER *(préparant d'autres tartines)* : Et vous-même, mon ami, votre belle perruque, n'est-ce pas un gri-gri aussi ? *(Sir Arthur pose sa cuiller brusquement.)* Oh, ce n'est pas pour m'en moquer, mon ami, pas du tout. Chacun a les gris-gris de son âge, je pense. De beaux bijoux, n'est-ce pas ? Ou une auto
90   rapide... Ou l'ordre de la Jarretière. *(Elle montre les portraits)*... Et les peuples aussi, il me semble. Les plus jeunes, les plus sauvages, leurs gris-gris sont les plus simples, aux autres il faut des gris-gris plus compliqués. Mais tous en ont, je crois. Or, voyez-vous, les tropis n'en ont pas.... *(Sir Arthur s'est penché en avant.*
95   *Il écoute sa femme avec surprise, se gratte un peu la tempe mais ne*

dit rien.) Il faut bien des gris-gris dès que l'on croit à quelque chose, n'est-ce pas ? Si l'on ne croit à rien... je veux dire : on peut naturellement refuser de croire aux choses admises, qu'on vous enseigne à l'école, à l'église, cela n'empêche pas... même les esprits forts, veux-je dire, qui prétendent ne croire ni à Dieu ni à Diable, nous les voyons chercher, n'est-ce pas. Mon pauvre père, il aurait voulu être yogi[1]. Il en a lu, le pauvre, des bouquins ! Que de gris-gris ! Toute une bibliothèque. D'autres, c'est la physique, la chimie ou bien l'astronomie, ou bien ils peignent des tableaux, écrivent de la musique... Ce sont leurs gris-gris, en somme. C'est leur manière à eux de... de se défendre... contre toutes ces choses incompréhensibles qui nous font tellement peur, quand nous y pensons. Vous voyez ce que je veux dire... la nuit et les fantômes, l'éternité, la mort, est-ce que je sais ? Ce ciel qui n'en finit pas... N'est-ce pas votre avis ? *(Arthur acquiesce silencieusement. Elle commence à ranger les tasses, la théière, pour emporter le plateau.)* Mais si vraiment on ne croit à rien... si on n'a aucun gri-gri... c'est qu'on ne s'est jamais rien demandé, n'est-ce pas. Jamais. Dès qu'on se demande, n'est-ce pas, il me semble, on a peur. Et dès qu'on a peur... Même, voyez-vous, Arthur, ces pauvres êtres tellement sauvages que nous avons vus à Ceylan l'autre hiver, tellement sauvages et arriérés, qui ne savent rien faire, pas même compter jusqu'à cinq, à peine parler... qui se nourrissent de vers et de

---

1. Adepte du yoga, discipline indienne traditionnelle visant à libérer l'âme par des pratiques psychiques (méditation) et corporelles (postures).

120 vermine... ils ont quand même des gris-gris. C'est donc qu'ils croient à quelque chose. Et s'ils y croient... eh bien, c'est qu'ils se sont demandé... je ne sais pas, ce qu'il y a dans le ciel, ou ailleurs, dans la forêt, les montagnes, la mer... enfin des choses auxquelles ils pouvaient croire ? vous voyez ? Même ceux-là, ces
125 pauvres brutes se le sont demandé. Alors, si un être ne se demande rien... mais là vraiment rien, rien du tout... eh bien, je pense qu'il faut vraiment qu'il soit une bête. Vous ne pensez pas ainsi ? Même un idiot de village se demande des choses... Mais je bavarde, je bavarde...

130 *Elle est prête à sortir, avec le plateau. Sir Arthur se lève, l'embrasse discrètement sur la tempe.*

DRAPER : Vous m'avez dit des choses singulières, ma chérie. Elles me feront réfléchir, je crois.

LADY DRAPER *(suavement)* : Vous le ferez acquitter, n'est-ce
135 pas ? J'aurais tant de peine pour cette petite.

DRAPER *(sans humeur)* : Encore une fois, ma chère, seul le Jury a qualité...

LADY DRAPER *(un doigt sur les lèvres de son mari)* : Bien entendu... Bien entendu.... *(Vite.)* Je peux vous débarrasser de
140 ce Buonaparte ? Pour ce qu'il vous a servi...

Exit. Elle croise l'huissier qui entre.

L'HUISSIER : Il est temps de vous préparer, *my lord.*

Draper, distraitement, enlève sa veste d'intérieur. L'huissier lui enfile, une à une, les pièces de sa tenue de juge : robe, collier, pen-
145 *dentif ; il lui passera sa perruque en dernier.*

DRAPER *(se parlant à lui-même)* : Les tropis n'ont pas de tabous. Ils ne dessinent pas, ils ne chantent pas, ils n'ont pas de fêtes ni de rites. Pas de danses, pas de sorciers. Ils n'ont pas de gris-gris. Ils ne sont même pas anthropophages. *(À l'huissier, pendant que celui-ci lui passe sur l'encolure collier et pendentif.)* Qu'en pensez-vous, Wilson ? Peut-il exister des hommes sans tabou ?

L'HUISSIER : C'est comme *my lord* voudra, *my lord*.

Exit. Draper met sa perruque. Lentement, un sourire intérieur lui monte aux lèvres.

ONZIÈME TABLEAU

Le tribunal. Justice Draper gagne sa chaire et dispose sur celle-ci, toujours souriant, marteau et objets rituels.

JUSTICE DRAPER : Professeur Kreps, la Cour désire vous poser une dernière question. *(Kreps vient à la barre.)* Au cours de vos observations sur la psychologie des primitifs, avez-vous jamais rencontré, professeur, ou l'un de vos collègues, une de ces tri-
5 bus... qui n'ait pas de gris-gris ?

KREPS *(surpris)* : Des gris-gris ?... C'est-à-dire, voyez-vous, que la première pensée d'un primitif se confond avec la magie. D'où, en effet, gris-gris, totems, tabous, etc.

JUSTICE DRAPER : Ainsi, pas d'exception ?

10 KREPS : Ce serait impossible, *my lord*.

JUSTICE DRAPER : Et les animaux ?

KREPS : Les animaux ?

JUSTICE DRAPER : Rien d'équivalent chez les singes, par exemple ?

15 KREPS *(riant)* : Non. Comment voudriez-vous... Toute pensée, même magique, implique un cerveau capable d'abstraction.

JUSTICE DRAPER : Et aucune bête n'en est capable ?

KREPS : Aucune, *my lord*, sauf moi.

20 POP *(de son banc)* : Oh, par exemple !

KREPS : Et sauf notre ami Pop, bien entendu.

JUSTICE DRAPER *(l'invitant à la barre)* : Vous n'êtes pas de cet avis, mon père ?

POP *(à la barre)* : Les grands singes, pas capables d'abstraction ! C'est fou combien on prend les animaux pour des imbéciles. Mais, contre récompense, le premier macaque venu vous classera les objets les plus hétéroclites en végétal et en minéral, en noir et en couleurs, en durs et en mous. Ce n'est pas l'abstraction, ça ? Et l'orang-outang de Furness qui disait « *tea* » et qui disait « Papa », ce n'était pas de l'abstraction ? On a même essayé de lui faire prononcer l'article « *the* ». Ça, c'était de l'abstraction pure. Mais l'animal est mort avant d'y parvenir.

JUSTICE DRAPER : Beaucoup de mes amis français, pourtant assez intelligents, mourront aussi, je le crains, avant d'y arriver... Mais avez-vous connu des singes qui eussent des gris-gris ?

POP *(après réflexion)* : Non, jamais... J'ai connu à Calcutta une guenon charmante, et d'une extrême pudeur : avant de s'endormir, elle protégeait sa modestie[1] avec une sandale verte dont elle ne se séparait jamais ; mais on ne peut appeler cela un gri-gri, non... Et d'ailleurs, *my lord*, pourquoi voudriez-vous que les animaux portassent des gris-gris ? Ils vivent dans la nature, ils ne s'en sont pas séparés, arrachés comme nous, et n'ont aucune raison...

JUSTICE DRAPER : Séparés, dites-vous, arrachés ?

POP : Pardon ?

---

1. Pudeur (archaïsme). Le contexte semble indiquer que la guenon se sert de sa sandale comme cache-sexe.

JUSTICE DRAPER : Voulez-vous dire que, si nous portons des gris-gris, c'est parce que nous nous sommes arrachés, séparés de la nature ? Que c'est pour ça que l'homme a peur ?

POP : Évidemment, *my lord*. Pour avoir peur d'être mouillé,
50 il ne faut pas être dans l'eau. Un poisson n'aura pas l'idée de se munir d'un parapluie. Pour trembler devant la nature, comme aussi bien pour l'admirer, voire pour l'adorer, il faut avoir pris de la distance. Nous la contemplons du dehors, comme un spectacle épouvantable et merveilleux.

55 JUSTICE DRAPER : Tandis que l'animal n'a pas pris cette distance, et par conséquent n'a pas même conscience du spectacle ?

POP : Évidemment.

JUSTICE DRAPER : En somme l'animal fait « un » avec la
60 nature, tandis que l'homme fait « deux » ? N'est-ce pas là, révérend, une grande, une très grande différence ?

POP *(soudain songeur)* : ... Certainement assez grande...

JUSTICE DRAPER : Eh bien, mon père, nous vous...

Mais Pop, d'un geste, l'a interrompu. Un temps.

65 POP *(se frappant, d'illumination, les paumes l'une dans l'autre)* : Nom d'un pétard !! *(Confus.)* Oh excusez, *my lord*...

JUSTICE DRAPER : Qu'y a-t-il, révérend ?

POP *(excité)* : L'œuf de Christophe Colomb !!

JUSTICE DRAPER : Vous avez découvert l'Amérique ?

70 POP : Non, *my lord*, c'est vous !

JUSTICE DRAPER : Moi ? Qu'est-ce que j'ai dit ?

POP : L'animal fait « un » avec la nature, l'homme fait « deux » avec elle ! Il s'en est arraché, il s'est... dénaturé !

JUSTICE DRAPER : Ai-je dit tout cela ?

POP : Non, mais c'est ce que ça veut dire *(emphatique et ravi)* : des animaux dénaturés, voilà ce que nous sommes !

JUSTICE DRAPER : Dénaturés ?

POP : Sortis de la nature, afin de la comprendre et de la maîtriser !

KREPS : Ma parole, Pop, voilà bien la première idée raisonnable que je vous entends articuler !

MINCHETT : Et en quoi cela nous avance-t-il ?

POP : En quoi ? Mais seuls, de toute la création, à demander des comptes, seuls à nous insurger contre notre ignorance et notre état, cela explique tout ! Le langage, les religions, les sciences ! L'histoire et la politique ! Ô Sainte Mère, quelle foudre !

MINCHETT : Je voudrais bien pouvoir partager votre enthousiasme, mais...

POP : Pourtant c'est l'évidence !

MINCHETT : Quoi ?

POP : Que rien d'humain n'aurait été possible, sans cette insurrection... sans cette rébellion...

MINCHETT : Oooooh... mais je n'aime pas du tout cette idée-là !

JUSTICE DRAPER : Il ne s'agit pas de l'aimer ou non, procureur. Il s'agit de savoir si elle est vraie ou fausse.

MINCHETT : Elle est fausse comme un jeton !

JAMESON : Et pour quelle raison ?

100   MINCHETT : Parce que la nature est notre mère à tous, et qu'on ne se rebelle pas contre sa mère.

POP : La nature, la nature... Mais si l'homme s'était accepté dans son état de nature, procureur, porteriez-vous perruque et collet blanc ? Il vous faudrait encore cavaler nu dans la forêt ori-105 ginelle, agitant votre crinière, et au lieu de puddings ou de gigots à la menthe vous nourrir d'insectes et de racines !

MINCHETT : Mais la prière, mon père ! Oserez-vous dire aussi qu'elle est une insurrection ?

POP : Et pourquoi pas ?

110   MINCHETT : Par exemple ! J'aimerais que vous m'expliquiez ça !

POP : Pourquoi prier si ce n'est pour atteindre un bien qui se refuse ? N'est-ce pas vouloir changer l'ordre des choses ? Mais allons, monsieur le procureur. Si c'est le mot qui vous inquiète, 115 eh bien, appelons-le... l'esprit religieux ?

KREPS : Hé là, hé là, Pop ! Mais c'est tout le contraire !

POP : Mais non. Chercher le Ciel, c'est chercher l'inconnu ; et de vouloir connaître l'inconnaissable n'est-ce pas une insurrection ? Une rébellion sacrée à laquelle Dieu nous invite ?

120   MINCHETT : Ta, ta, ta. Opposition.

JUSTICE DRAPER : Avez-vous, procureur, à nous proposer quelque chose de mieux ?

MINCHETT : Non, mais je ne vois pas où ça nous mène, cette

idée de rébellion. Ce n'est pas au maintien de l'ordre en tout cas.

POP : De l'ordre établi peut-être ; mais il y en a d'autres.

MINCHETT : C'est possible mais mon rôle dans ce prétoire est de maintenir l'ordre établi. Opposition.

JAMESON : Mais enfin, cher confrère, il ne s'agit pas...

MINCHETT *(têtu)* : Opposition. Opposition.

Silence consterné.

JUSTICE DRAPER *(à Pop)* : Mon père, entendons-nous bien. Ce que vous désignez par esprit religieux, c'est bien notre aspiration à percer le mystère des choses, le refus de notre ignorance ?

POP : C'est cela, *my lord.*

JUSTICE DRAPER : Et ce que vous nommez du mot de rébellion, c'est bien le même refus des choses comme elles sont ?

POP : Le même, *my lord.*

JUSTICE DRAPER : Bien. Je m'adresse donc à la défense et à l'accusation. *(À Minchett.)* Étendez-vous vos préventions[1], procureur, à l'esprit religieux ?

MINCHETT : N... non. Il faut de la religion pour le peuple.

LE MOUSTACHU *(dans le Jury)* : Ah mais non ! ah mais non !

LES AUTRES JURÉS : Chchchcht...

JUSTICE DRAPER : La défense est d'accord ?

JAMESON : Pourquoi ne pas adopter le mot de rébellion, puisque c'est la même chose ?

---

1. Accusations.

MINCHETT : Parce que je m'y oppose.

150   JAMESON : Ça me dépasse ! Tudieu[1], puisque c'est la même chose !

JUSTICE DRAPER : On a souvent plus peur des mots que des idées. Laissons donc le Jury adopter la formule de son choix. La rébellion ou l'esprit religieux. Ces mots étant pris dans leur sens
155   propre ou le sens contraire, selon les préférences. De toute façon, l'essentiel est acquis. Voici, pour la première fois, l'homme enfin défini. Il ne nous reste plus à présent...

DOUGLAS (debout, d'une voix forte) : Je demande la parole ! *Sensation.*

160   JUSTICE DRAPER : Eh bien, monsieur Templemore, vous avouerez que vous y avez mis le temps ! Parlez, parlez, je vous en prie !

DOUGLAS : Un instant, *my lord.* Pop, puis-je vous embrasser ? *Ils s'étreignent.*

165   JAMESON : Mesdames et messieurs du Jury, c'est un grand jour, je crois. Et grâce soit rendue au père Dillighan...

DOUGLAS : ... par qui ma présence sur ce banc est enfin justifiée...

JAMESON : L'homme, animal rebelle ! Voici donc ce pays, non
170   content d'avoir apporté au monde son premier parlement, qui lui apporte à présent la première définition universelle de notre espèce !

---

1. Juron issu de la déformation de « par la vertu de Dieu ».

DOUGLAS *(mi-plaisant, mi-sérieux)* : Messieurs, vive l'Angleterre !

Minchett se met au garde-à-vous, les autres doivent l'imiter. Seul le moustachu reste assis.

LE GENTLEMAN *(au moustachu)* : Eh bien ? Eh bien ?

LE MOUSTACHU : Moi ? Je suis écossais.

Marteau. Tout le monde se rassoit, sauf Minchett.

MINCHETT : Je me suis associé à cet hommage, mais je proteste contre l'indécence d'y avoir été invité par un bourreau d'enfant !

Il se rassoit.

JAMESON : Cher confrère, vous anticipez.

JUSTICE DRAPER : Messieurs, il est bien vrai que cet instant est solennel. Mais le procès continue. L'accusé demeure inculpé de meurtre. Qu'une trace de rébellion – ou d'esprit religieux – soit observée chez les tropis, nous devrons les déclarer humains en droit comme en fait – et vous, monsieur Templemore, vous serez condamné. Vous vouliez nous parler ; qu'avez-vous à nous dire ?

DOUGLAS : Que depuis le début de ce procès, *my lord*, un détail m'a frappé.

JUSTICE DRAPER : Oui, moi aussi – si c'est le même.

DOUGLAS : La plupart des tropis, nous a-t-on dit, ceux qui ont suivi Kreps, ne font pas de feu, se jettent sur la viande crue et la dévorent telle quelle...

MINCHETT : Je le savais bien, que vous plaideriez qu'ils sont des singes !

DOUGLAS : Quant aux autres, ceux qui ont refusé de quitter
200 leurs grottes, ils allument bien du feu sous leurs quartiers de
viande, mais ils les retirent sans tarder et les dévorent aussi tels
quels. Un instinct, nous dit-on, comme le chien qui enterre son
os ? Mais dans ce cas, *my lord*, comment expliquer que cet instinct, tous les tropis ne le partagent pas ?

205 JUSTICE DRAPER *(qui a déjà compris)* : Oui, vous avez raison,
cela reste à élucider.

DOUGLAS : Tandis que, si au contraire l'on considère ce geste,
étrangement inutile, comme une cérémonie du feu, une
ébauche d'acte rituel, de purification ou d'exorcisme – une
210 forme primitive de tabou, *my lord* –, tout ce comportement ne
s'explique-t-il pas ?

JUSTICE DRAPER : Effectivement. Mais n'êtes-vous pas en
train, monsieur Templemore, de plaider que les tropis sont des
hommes ?

215 DOUGLAS : Ils le sont, *my lord*.

JUSTICE DRAPER : Si le Jury vous suit... *(Geste de pendaison.)*

DOUGLAS : Mais s'il ne me suit pas, c'est tout un petit peuple
que nous abandonnerons.

JUSTICE DRAPER : Oh, seulement quelques-uns !

220 DOUGLAS : Un seul juste aurait sauvé Sodome[1], *my lord*. Un
seul tropi eût-il franchi la ligne qui sépare l'homme de la bête
qu'il nous faudrait accueillir toute l'espèce avec lui.

---

1. Cité située au sud de la mer Morte, détruite en même temps que Gomorrhe par le soufre et le feu
en punition de ses péchés (homosexualité), selon la Bible (*Genèse*, XIX).

JUSTICE DRAPER : C'est juste. *(Avec humour.)* Car s'il nous eût fallu, nous que voilà, tout seuls passer la ligne et sans l'aide de personne, serions-nous très nombreux à avoir droit à ce nom d'homme ? Soyons modestes. La Cour, monsieur Templemore, respecte votre courage. Mais réfléchissez bien ; quand la Couronne aura parlé, personne ne pourra plus demander la parole. N'avez-vous rien à ajouter ?

DOUGLAS : Non, *my lord.*

JUSTICE DRAPER : La parole est à la défense.

JAMESON : Selon la volonté de mon client, il n'y aura pas de plaidoirie.

Surprise inquiète.

JUSTICE DRAPER : Pas même pour des circonstances atté-nuantes ?

JAMESON : Non, Votre Honneur.

SYBIL *(se levant)* : Mais c'est de la folie !...

Marteau.

JUSTICE DRAPER : La parole est à l'accusation.

MINCHETT *(euphorique)* : Qu'ajouter, Votre Honneur, qui ne soit déjà dit, et à la face du monde ? Plus de doute désormais pour personne, c'est l'accusé lui-même qui l'avoue : les hommes sont des... pardon : les tropis sont des hommes.

LA DAME QUAKER *(dans le Jury)* : Un beau cadeau qu'on leur fait là ! Ils vont devenir menteurs, voleurs...

LES AUTRES JURÉS : Chchchcht...

MINCHETT : Ainsi, mesdames, messieurs, la cause est claire et

me dispense de réquisitoire. Nous jugeons le meurtrier d'un
250 enfant, son enfant. S'il vous reste pourtant quelque scrupule à
l'égard d'un sujet de Sa Majesté, nous vous en conjurons : ne
cédez pas à une indulgence déplacée qui porterait un coup fatal
à la protection de l'enfance, pourrait ouvrir les vannes à un
déluge d'infanticides ! Votre devoir est tracé. Il n'est plus d'autre
255 voie : sachant ce que vous savez, vous devrez déclarer l'accusé
coupable. J'ai dit.

*Silence pesant. Draper pose longuement son regard sur Jameson.
L'avocat lève le bras.*

JUSTICE DRAPER : La parole est à la défense.

260 MINCHETT : Opposition ! Dans ce pays, vous l'avez dit, nul
ne parle après la Couronne.

JUSTICE DRAPER : Sauf s'il s'agit d'un point de droit.

MINCHETT : Je ne vois aucun point qu'on puisse encore...

JUSTICE DRAPER : Si, si. L'on peut en soulever plusieurs.

265 JAMESON : Mais un seul suffira. Mon distingué confrère, si
pointilleux sur toutes les questions touchant la légalité, nous
dira-t-il si, à sa connaissance, il existe dans ce pays des lois
rétroactives ?

MINCHETT *(sur ses gardes)* : Non.

270 JUSTICE DRAPER : Ce serait absolument contraire à l'esprit de
nos lois.

JAMESON : Bien. Le Jury va très probablement répondre, dans
un instant, que les tropis sont des hommes. C'est bien votre
avis, cher confrère ?

275 MINCHETT : Assurément.

JAMESON : Donc, ils n'auront jamais été autre chose que des hommes ? Et la victime un petit enfant ?

MINCHETT : Assurément.

JAMESON : Et mon client un assassin ?

MINCHETT : N'est-ce pas évident ?

JAMESON : Bien. Mais supposons maintenant, pour une seconde, que le Jury décide que les tropis sont des singes. Ils peuvent encore le faire. Ils auront donc toujours été des singes. N'est-ce pas évident aussi, mon cher confrère ?

MINCHETT *(nerveux)* : C'est-à-dire... s'ils décidaient... mais comme ils décideront...

JUSTICE DRAPER : Veuillez répondre, monsieur le procureur.

MINCHETT : Mais ils... mais nous... Je proteste, Votre Honneur, contre une diversion de dernière minute qui vise à jeter le doute...

JUSTICE DRAPER : Il y a une question posée, procureur.

JAMESON : Seraient-ils pas des singes et la petite victime aussi ?

MINCHETT : Sans doute. Mais puisque...

JAMESON : Reportons-nous à l'époque des faits. L'accusé était-il censé savoir six mois d'avance ce qui ne va se décider ici que tout à l'heure ? *(Pas de réponse. Minchett s'agite.)* Par conséquent, le condamner pour un acte commis à une époque où ni lui ni vous ni moi, ni les jurés, ni personne n'auraient pu dire ce qu'étaient, ce que sont encore les tropis au moment où je parle, ne serait-ce pas, mon cher confrère, lui appliquer une peine rétroactive ?

MINCHETT : Je...

JUSTICE DRAPER *(sans attendre)* : Ce serait assurément lui en
305 appliquer une.

MINCHETT : Mais... Votre Honn...

Le juge l'interrompt d'un coup de marteau.

JUSTICE DRAPER : Et maintenant, comme le veut l'usage,
résumons les débats. L'humanité, nous le voyons, n'est pas un
310 état à subir, mais une dignité à conquérir. En d'autres termes,
l'espèce humaine est un club très fermé. N'y entre pas qui veut.
Il faut montrer patte blanche. Les tropis, comme le pense l'accusé, ont-ils vraiment fait preuve des mérites nécessaires ? En
un mot, sont-ils des hommes ? C'est la première question qui
315 vous sera posée. Si vous répondez oui, nos règlements protége-
ront, à l'avenir, leurs vies et leurs droits. Mais, dans le passé, les
protégeaient-ils ? L'accusé est-il fautif d'avoir enfreint, il y a
trois mois, cette protection future ? Et faut-il, rétroactivement,
le déclarer coupable ? Ce sera la deuxième question. Mesdames,
320 messieurs du Jury, veuillez vous retirer pour délibérer.

LE PRÉSIDENT DU JURY : Pour quoi faire, *my lord* ? Nous
sommes tous d'accord *(à ses voisins)* : n'est-ce pas ? *(Acquiescement
des jurés.)* Par conséquent, à la première question, nous répondons : OUI, les tropis sont des hommes ! *(Applaudissements.*
325 *Vancruysen, furieux, quitte la salle.)* À la deuxième question, nous
répondons : NON, le coupable est innocent !

*Joie. Tumulte. Sybil et Douglas s'étreignent dans le brouhaha
général. Draper frappe en vain du marteau, puis les mains en
porte-voix, pour dominer le tumulte :*

JUSTICE DRAPER : L'accusé est acquitté !

LE PRÉSIDENT DU JURY : Avec les félicitations du Jury !

LE MOUSTACHU *(ironique)* : Et des textiles anglais !

Le ministre de la Justice surgit et s'élance à la rencontre du juge pour lui serrer vigoureusement les mains. Lady Draper pour l'embrasser. On les entoure, puis tous se retournent, joyeusement, vers le public-tropi et l'applaudissent.

Après-texte

POUR COMPRENDRE

Étape 1   Le texte de théâtre :
           une parole en situation 140
Étape 2   Meurtre dans un cottage anglais 142
Étape 3   Un cadavre « très petit,
           mais déconcertant » 144
Étape 4   « Un crâne d'un million d'années »
           mais « tout récent » 146
Étape 5   *Paranthropus erectus* :
           le chaînon manquant ? 148
Étape 6   Les tropis ont-ils une âme ? 150
Étape 7   « Les nègres sont-ils des hommes ? » 152
Étape 8   Nous sommes tous des tropis !
           Qui sommes-nous ? 154
Étape 9   Un assassin « coupable »
           et « innocent » 156
Étape 10   *Zoo* : une hybridation réussie 158

GROUPEMENT DE TEXTES
    Le propre de l'homme 161

INFORMATION/DOCUMENTATION
    Bibliographie, visites, filmographie, Internet 177

LE TEXTE DE THÉÂTRE :

UNE PAROLE EN SITUATION

Lire

1 Lisez le résumé de la pièce (p. 11). À quel genre littéraire fait référence *Les Animaux dénaturés* (version romanesque de *Zoo*) ? À quel domaine scientifique *Zoo* renvoie-t-il ?

2 Lisez la liste des personnages de la pièce. Classez-les selon leur appartenance à un milieu social.

3 Après votre première lecture du texte de la pièce, faites un nouveau tableau où vous classerez les personnages en fonction de leur position intellectuelle sur la nature des tropis. Comparez avec le précédent.

4 Lisez à la suite toutes les didascalies de la pièce et relevez les indications tendant à assimiler l'humain à l'animal (ex. : p. 25, l. 216-217). Quel effet produisent-elles sur le lecteur ou le spectateur ?

Écrire

Écrit fonctionnel

5 En vous aidant des notes en bas de page, recensez le lexique de la paléontologie.

Écrit d'invention

6 Réécrivez les didascalies initiales (p. 14-15) en vue d'une transposition de l'action en France (et d'un procès à Paris). Certains éléments (personnages et indications scéniques) peuvent être conservés. N'oubliez pas de changer les noms.

Chercher

7 Choisissez dans la bibliographie ou la filmographie (p. 179) un roman ou un film racontant l'histoire d'une métamorphose animale, que vous présenterez ensuite à la classe.

Oral

8 Faites la présentation critique d'un roman (ou d'un film) dont vous lirez (ou commenterez) un chapitre (ou une séquence).

9 Faites un exposé succinct des dernières découvertes en matière de paléontologie, susceptibles de modifier la compréhension de la pièce, écrite en 1963.

À SAVOIR

POUR COMPRENDRE

HISTOIRE LITTÉRAIRE : LES RÉÉCRITURES

Lorsque Giraudoux (1882-1944) transpose pour la scène le mythe d'Amphitryon, il intitule sa pièce *Amphitryon 38*, parce que c'est la 38e version de la même légende. Le théâtre du xxe siècle (dans sa première moitié) ressemble à une vaste réécriture des tragédies d'Eschyle, Sophocle et Euripide. Cocteau (1927) et Anouilh (1944) adaptent *Antigone* (Sophocle), Giraudoux et Sartre l'*Oreste* d'Eschyle (*Électre*, 1937 ; *Les Mouches*, 1944). Ces adaptations ne sont pas de simples dépoussiérages, mais des paraboles originales sur la destinée (*La Machine infernale*, Cocteau, 1934) ou des réflexions sur la guerre (*La Guerre de Troie n'aura pas lieu*, Giraudoux, 1935). Le procédé n'est pas nouveau. Racine adaptait Euripide (*Iphigénie*), Homère (*Andromaque*) et Sénèque (*Phèdre*). Toute la littérature occidentale a puisé dans les récits homériques (*Odyssée*, *Iliade*) la matière de ses romans d'apprentissage, et dans les tragédies antiques les personnages allégoriques de la condition humaine.

Lorsque Vercors accepte d'adapter pour la scène en 1945 son roman *Le Silence de la mer* (1942), puis en 1959 son roman *Les Animaux dénaturés* (1952) pour Jean Deschamps, sa démarche est différente. Elle se rapproche de celle de Giraudoux, réécrivant son roman *Siegfried et le Limousin* (1922) en *Siegfried* (1928), à la demande du comédien Louis Jouvet. La confrontation du roman *Les Animaux dénaturés* et de la pièce *Zoo* révèle une parfaite maîtrise des contraintes du genre. L'intrigue est resserrée autour d'un seul procès, les personnages sont stylisés pour constituer une typologie de spécialistes. La disparition de la fiancée Frances, le déplacement de Sybil – épouse de Greame dans le roman – en fille de Greame et fiancée de Templemore simplifient les enjeux moraux. Quant à l'utilisation de l'espace scénique, elle montre une réflexion approfondie de Vercors sur les problèmes de la représentation (*cf.* « À Savoir », p. 155). « S'il convient de susciter la réflexion, le roman est un bon instrument ; s'il faut provoquer un choc émotionnel, alors le théâtre s'impose » (entretien avec Vercors, P.-L. Mignon, *L'Avant-Scène*, n° 316, 1964).

POUR COMPRENDRE

Lire

1 Quelle indication scénique justifie le découpage de l'acte en « tableaux » ? Quel détail permet de se représenter le dispositif scénique du premier acte ? En combien de scènes peut-on découper le premier tableau ?

2 À quel registre semble appartenir le texte ? À quel genre littéraire appartiennent les personnages ?

3 Relevez les répliques qui orientent le dialogue dans de nouvelles directions : quelles sont les hypothèses successives que formulent le médecin, puis le policier ? quelle est la plus surprenante ?

4 Quelles autres autorités légales interviennent dans la discussion ? Sous quelle forme ?

5 Relevez les traits d'humour du texte : quel est le personnage le plus risible dans cette scène ? quelle réplique trouvez-vous la plus cocasse ?

Écrire

Écrit fonctionnel

6 Aidez-vous d'un dictionnaire de langue pour reconstituer toute la famille de mots dérivés du grec *anthrôpos* : « homme ».

Écrit d'invention

7 Douglas Templemore est journaliste au *Times*. Imaginez l'article que l'un de ses confrères rédige pour rendre compte du fait-divers hors du commun dont Douglas est le héros.

Chercher

8 Lisez le chapitre I du roman *Les Animaux dénaturés*, de Vercors (version romanesque de *Zoo*). Comparez-le avec la scène d'exposition de la pièce : quelle présentation préférez-vous ? pourquoi ?

Oral

9 Organisez une représentation théâtrale du premier tableau : on pourrait le découper en petites scènes (*cf.* question 1) et changer de distribution à chaque changement de scène. Pour garder les effets de surprise, il serait bon de trouver une solution de mise en scène pour conserver les « jeux » autour du berceau.

À SAVOIR

POUR COMPRENDRE

HISTOIRE DES SCIENCES : QU'EST-CE QUE L'ANTHROPOLOGIE ?

Étymologiquement, l'*anthropologie* est la « science de l'homme ». Définition vague, que la pièce *Zoo* n'aide guère à clarifier : Cuthbert Greame, chef de l'expédition en Nouvelle-Guinée, est un anthropologue à la recherche d'une mandibule fossile ; son ami Pop, « excellent paléontologue », linguiste et zoologiste, l'aide dans ses recherches. Le professeur Knaatsch, appelé à la barre des témoins en tant qu'expert en anthropologie, ne jure que par l'astragale et ne partage pas du tout les analyses du Pr Eatons, paléontologue et biologiste. Quant au Pr Kreps, il est géologue, et c'est en cherchant des cailloux qu'il découvre un pariétal « d'un million d'années, [mais] tout récent » ; il lui arrive également de répondre à des questions de « psychologie primitive ».

Paléontologie, biologie, zoologie forment avec l'anthropologie une « histoire naturelle du genre humain ». Le fondateur de l'École d'anthropologie (1876), Broca, était chirurgien avant d'être anthropologue spécialisé en craniologie. Les anthropologues cherchent à chiffrer ce que les disciplines voisines se contentaient alors d'observer, puis à interpréter les résultats de leurs observations. En 1913, Durkheim inaugure à la Sorbonne la première chaire de sociologie, consacrée aux systèmes de représentations collectives. Son essai *Système totémique en Australie* (1912) oriente la recherche en sociologie vers l'étude des phénomènes sociaux dans leur totalité. Son disciple Mauss, directeur de l'Institut d'ethnologie, auteur d'un *Essai sur le don, forme archaïque de l'échange* (1923-1924), associe enquête ethnographique et anthropologie. Les expéditions se multiplient : Margaret Mead et son mari Bateson étudient les problèmes d'intégration de l'individu dans la société en Nouvelle-Guinée, comme le couple Greame dans le roman de Vercors *Les Animaux dénaturés*, dont l'écriture (1952) coïncide avec un tournant décisif dans l'histoire de l'anthropologie. Lévi-Strauss met au point une nouvelle méthodologie empruntée à la linguistique structurale pour étudier les *Structures élémentaires de la parenté* (1949). *Tristes Tropiques* (1955) et la *Pensée sauvage* (1962) renouvellent la pensée totémique héritée de Durkheim. Une autre orientation est apparue dans la recherche anthropologique qui s'intéresse au « proche » et au « quotidien » (lire, par exemple, *Un ethnologue dans le métro*, Marc Augé, 1986).

UN CADAVRE « TRÈS PETIT, MAIS DÉCONCERTANT »

Lire

1 Comparez les didascalies des pages 27 et 36. Quel titre commun pourrait-on donner à cette partie de l'action ?

2 Quelles sont les informations successives que révèle le ministre de la Justice (p. 27-33, l. 5-156) ?

3 Comparez l'attitude de Draper face à sa femme (p. 33-35, l. 157-224) et face à « son » ministre : qu'en attendez-vous dans sa fonction de juge ?

4 Comment est composée la Cour (p. 36-42) ? Quelle est la fonction de chacun de ses membres ? Quel moment du procès est représenté ici ?

5 À quel genre rhétorique appartiennent les tableaux 2 et 3 ? Quels sont les enjeux du discours du ministre ? de Lady Draper ? de Greame ? de Minchett ? Lequel de ces personnages vous semble le plus habile ? Pourquoi ?

Écrire

Écrit d'argumentation

6 Justifiez l'indication de l'auteur (p. 13 : « Comédie judiciaire, zoologique et morale ») en vous appuyant sur des citations (p. 27-42) que vous classerez en fonction de ces trois caractéristiques. Vous préciserez – en le reformulant vous-même – de quelle nature est le problème soulevé par le crime de Templemore.

Écrit d'invention

7 Réécrivez la tirade du ministre (p. 28, l. 31-43) rapportant les propos du Jury lors du premier procès en dialogue entre les jurés, les témoins, et la Cour. Inspirez-vous pour ce dialogue de celui du tableau 3 (n'oubliez pas les didascalies).

Oral

8 Jouez quelques-uns des dialogues écrits pour la question 7.

9 Jouez le tableau 3 (p. 36-42) après avoir disposé les personnages en fonction de leur rôle dans un tribunal, et souligné les changements de ton précisés par l'auteur, notamment pour le rôle du procureur.

Chercher

10 Faites une recherche lexicale sur le mot *tribunal* (étymologie, histoire, évolution, synonymes) et sur sa fonction : recensez les différentes juridictions et classez-les en fonction de leurs compétences. Cherchez les membres qui composent une cour de justice et reconstituez les différentes étapes d'un procès. Quelles sont les différences entre les procédures françaises et anglaises ? Pour quelle raison, selon vous, Vercors a-t-il choisi de situer le procès en Angleterre ?

À SAVOIR

POUR COMPRENDRE

DE LA RHÉTORIQUE JUDICIAIRE

Nul lieu n'est plus approprié qu'un tribunal pour mettre en valeur la rhétorique, qui est l'art de parler de manière à convaincre son auditoire (le jury) de l'innocence ou de la culpabilité d'un accusé. Le genre judiciaire est hérité de l'art oratoire latin, dans lequel s'illustra Cicéron (106-43 av. J.-C.) et dont les films « de prétoire » constituent aujourd'hui le dernier avatar (*cf. L'Autopsie d'un meurtre*, Otto Preminger, 1959).

Vercors s'amuse avec la rhétorique comme avec l'anthropologie. Son président de tribunal, Justice Draper, est soumis à la double influence de son ministre et de son épouse, dont les argumentations respectives s'apparentent au chantage. Incapable de contrôler les débordements des témoins, il « accumule les vices de forme » (p. 111, l. 79-80). L'avocat de la défense renonce à sa plaidoirie à la demande de son client (p. 133, l. 232-233). Quant au procureur, il s'estime « dispensé de réquisitoire » (p. 133-134, l. 248-249), l'accusé n'ayant jamais nié être l'assassin de son enfant. Ayant évacué l'appareil judiciaire que l'on attendait, Vercors en réintroduit habilement la rhétorique, d'abord dans le domaine zoologique, puis dans le domaine moral. L'interrogation sur la nature des tropis – « singes ou sauvages ? » – donne lieu à des affrontements de savants dont le raisonnement de type déductif souligne la formation scientifique. Lady Draper elle-même ne raisonne pas autrement et, sous les ornements frivoles de son bavardage, se cachent d'étonnants syllogismes qui impressionnent son mari (p. 122, l. 132-133). Nul genre ne se prête mieux à la rhétorique délibérative que le théâtre, comme en témoignent le monologue de Rodrigue dans *Le Cid*, ceux d'Hamlet ou de Macbeth dans les drames éponymes de Shakespeare ou celui, parodique, de Mère Ubu dans *Ubu roi* (acte IV, scène 1). Mais la rhétorique héritée d'Aristote a ses limites : « L'ennui, c'est que chaque aspect de la question provoque immédiatement l'aspect contraire ! » se désole Justice Draper (p. 75, l. 55-57). Pour sortir de cette aporie – comment peut-on être assassin *et* philanthrope ? coupable *et* innocent ? –, peut-être faut-il recourir à un autre outil que le raisonnement logique.

« UN CRÂNE D'UN MILLION D'ANNÉES »

MAIS « TOUT RÉCENT »

Lire

1 Lisez à la suite la dernière réplique de Sybil dans le tableau 3 et la première du tableau 4. Comment appelle-t-on ce type d'enchaînement au cinéma ? Outre ce procédé, quels détails signalent le flash-back ?

2 Quel rôle joue Douglas au sein de l'équipe de savants ? Quelle fonction lui ont attribuée les membres de l'expédition ? Quel semble être son seul centre d'intérêt ?

3 Quelle place occupe Sybil dans la recherche ? Quel est le trait dominant de son caractère ? Relevez les répliques qui dévoilent ses sentiments à l'égard de Douglas.

4 Étudiez la progression du suspense ménageant la révélation finale.

5 Recensez les effets comiques relevant de la situation, des mots et des gestes. Douglas est-il le même que dans le premier tableau ?

Écrire

Écrit fonctionnel

6 En vous documentant dans des essais ou des revues scientifiques (*cf.* p. 178), reconstituez la chronologie de l'évolution telle qu'elle est évoquée dans ce 4e tableau, notamment des lignes 85 à 94 et 145 à 155. Vous pouvez opter pour une représentation graphique.

Écrit d'argumentation

7 Vous ne croyez pas à la survivance des pithécanthropes et défendez la thèse du crâne fossile en utilisant des arguments scientifiques récoltés au cours de vos recherches (*cf.* question 6).

Chercher

8 Choisissez dans la bibliographie (*cf.* p. 177) un roman (ou une nouvelle) « préhistorique », dont vous lirez le premier chapitre. Vous y relèverez les effets d'authenticité historique et scientifique.

Oral

9 Jouez la scène de la découverte de la calotte crânienne, à partir de l'entrée de Pop et Greame (p. 47, l. 99), après avoir soigneusement travaillé les indications scéniques, de plus en plus abondantes au fur et à mesure que le suspense augmente.

À SAVOIR

POUR COMPRENDRE

CHAMPS LEXICAUX ET POLYPHONIE

Le texte de la pièce *Zoo* est littéralement saturé par le lexique scientifique. Le champ lexical des sciences humaines, au sens large, se répartit en divers réseaux, selon les spécialités des personnages, si bien qu'à chaque lexique spécialisé correspond une « voix » et que le classement des réseaux lexicaux aboutit à une typologie des personnages. L'anthropologue parle « squelette », le géologue « roche », le paléontologue « fossile » et « généalogie », et le médecin « anatomie ». Le bénédictin, érudit, est le seul à parler tous les idiomes, y compris celui des animaux (*cf.* p. 70) ! Templemore, l'ingénu béotien au milieu de l'assemblée de savants, parle comme « un collégien » et Sybil (nom de la prophétesse qui a donné son nom aux « sibylles », les devineresses) doit lui traduire les répliques du géologue.

Cette diversité des réseaux lexicaux ne se superpose pas à celle des niveaux de langue : la langue parlée par les juges n'est pas d'un niveau inférieur à celle parlée par les scientifiques, mais Justice Draper doit pourtant demander au Pr Eatons d'« user d'un langage plus accessible au profane ». Tout aussi abondant que celui des sciences humaines, le lexique juridique sature les interventions de Jameson, Minchett et Draper. Quant au Jury, son langage est aussi hétéroclite que les membres qui le composent et conforme, sinon à des professions, du moins à des groupes sociaux bien définis. D'autres traits spécifiques s'ajoutent au lexique pour caractériser les personnages : l'accent « germanique » de Kreps marque son origine géographique, l'accent « oxfordien » d'Eatons ses origines sociales (« Eatons » ressemble à « Eton », le plus célèbre des collèges chics anglais). Les bafouillages de Greame sont caractéristiques du savant : ce n'est pas un « orateur ». Les tics langagiers et gestuels de Knaatsch en font un personnage de bande dessinée ou de dessin satirique, à la manière de Jean Bruller avant qu'il ne devienne Vercors. *Zoo* est une œuvre d'une grande richesse polyphonique qui nous fait distinguer, entre médecins, le gynécologue du généraliste et le généraliste du légiste, et identifier une *lady* tout autant à son langage qu'à son « plumage » !

PARANTHROPUS ERECTUS :

LE CHAÎNON MANQUANT ?

Lire

1 Remarquez l'enchaînement des tableaux 5 et 4. Quels mots assurent la liaison syntaxique ?

2 Découpez le tableau 5 en autant de scènes qu'il y a d'interrogatoires. Dressez-en la liste et recensez les enjeux.

3 Quelle est la caractéristique syntaxique des questions posées par Minchett ? et par Jameson ? Lequel des deux vous semble le plus efficace ?

4 À quel moment précis intervient le président du Jury ? Quelle est l'incidence de cette intervention sur la suite de l'audience ?

5 Sur quels arguments s'appuie le procureur pour justifier sa croyance en l'humanité des tropis ?

Écrire

Écrit fonctionnel

6 Recensez les questions scientifiques formulées au cours des interrogatoires et faites un tableau à double entrée. Verticalement, vous ferez la liste des témoins et de leur spécialité et, horizontalement, vous formulerez leur réponse à la question portant sur la nature des tropis par l'un de leurs arguments.

Écrit d'argumentation

7 Vous venez d'assister à l'audience relatée dans ce cinquième tableau, votre conviction est faite : les tropis sont des hommes (ou bien : les tropis sont des singes). Rédigez votre argumentation en faveur de l'une ou l'autre thèse.

Chercher

8 Faites une recherche sur la langue de l'*Homo erectus*, notamment sur les hypothèses récentes d'une proto-langue (langue primitive) unique (*cf.* p. 178).

9 Comparez les langages que les romanciers attribuent à leurs héros des « âges farouches » : J. H. Rosny Aîné dans *La Guerre du feu,* 1911 (3e partie, chap. I) ; Jean d'Esme dans *Les Dieux rouges*, 1923 (chap. XXIII) ; Roy Lewis dans *Pourquoi j'ai mangé mon père*, 1960 (chap. XI).

Oral

10 Lisez les extraits sélectionnés (*cf.* question 9) puis interprétez l'imitation du « langage » animal par Pop (p. 69-70, l. 489-518).

11 Organisez un débat à l'issue de la projection d'une séquence de *La Guerre du feu*, film réalisé par J.-J. Annaud (1981), ou de *King Kong*, de Cooper et Shoedsack (1933), ou encore de *Koko, le gorille qui parle*, documentaire de Barbet-Schroeder (1978).

À SAVOIR

ÉNONCIATION ET QUESTIONNEMENT

Qui soumettrait le texte de *Zoo* à l'analyse statistique des énoncés relèverait un taux anormalement élevé de phrases interrogatives, comparé aux textes de théâtre de même longueur et de même époque. Caractéristique peu surprenante si l'on envisage la structure gigogne de cette œuvre, composée d'éléments pouvant s'emboîter les uns dans les autres : la comédie judiciaire implique des interrogatoires qui portent sur une enquête anthropologique, dont les résultats impliquent des questions d'ordre philosophique, qui sont toutes autant de variations autour de la question : qu'est-ce qu'un homme ? Est-ce la raison ? comme le pensait Aristote – et « le moustachu » du Jury. Est-ce l'âme ? que l'Église catholique ne voyait pas dans le corps des Indiens, comme le rappelle le médecin-légiste (p. 63, l. 331-335). Est-ce l'aptitude à s'approprier une culture ? comme l'imaginaient les humanistes de la Renaissance. Est-ce la pensée ? le langage ? l'Art ? les perversions sexuelles ?... ou la conscience de la mort qui nous fait nous cramponner à des « grigris » rassurants ? Entre deux tasses de thé, Lady Draper reprend à son compte l'analyse des primitifs que Freud développe dans *Totem et Tabou* (1912-1913).

Tous les critères d'identification de l'espèce humaine sont évoqués à la barre des témoins, tantôt pour soutenir l'accusation, qui repose sur la thèse d'un *Paranthropus erectus* « hominidé », tantôt pour soutenir la défense. En réalité, les tropis « se trimballent sur la limite [...] comme Charlot sur la frontière du Texas et du Mexique » (p. 71, l. 540-543), constate le plus savant de tous, le moine bénédictin, paléontologue, linguiste, psychologue et théologien. Un premier procès a été ajourné avant que la pièce commence. L'audience est suspendue après le témoignage du père Dillinghan, dont les connaissances ont encore fait vaciller les certitudes. « Personne ne veut rien dire » (p. 72, l. 550-551). Il n'y a pas de réponses parce que « les hommes ne savent pas ce qu'ils sont » (p. 112, l. 110-111)... Tropi or not tropi ? Là n'est peut-être pas *la* question fondamentale.

POUR COMPRENDRE

Lire

1 Justifiez le changement d'acte entre le cinquième et le sixième tableau. Notez l'enchaînement entre le sixième et le septième tableau. Quand a-t-on trouvé le même procédé ?

2 Qui dirige l'interrogatoire dans le 6e tableau ? Quel est l'enjeu philosophique de ce dialogue ?

3 Rapprochez le septième tableau du quatrième. Quel sentiment dominait l'équipe de savants au moment de la découverte du crâne ? Lequel semble l'emporter après un temps de réflexion ?

4 Montrez que chaque personnage doute de ses propres certitudes dès lors qu'il les confronte au concept d'« humanité » des tropis.

5 Quelle est la fonction des Papous, du point de vue de l'intrigue, de la dramaturgie et de la portée symbolique des tropis ?

6 Comment appelle-t-on le type de raisonnement de Kreps (p. 78, l. 48-50) ? Comparez-le avec le raisonnement de Sybil (p. 79, l. 91-93). Auquel des deux s'apparente la solution « exorbitant[e] » de l'assassinat (p. 84-85, l. 216-220) ?

Écrire

Écrits d'invention

7 Imaginez la scène entre Pop et les Papous faisant rôtir les tropis.

8 Imaginez la lettre que Sybil adresse à l'une de ses amies (ancienne camarade d'université) restée à Londres pour lui raconter les dernières péripéties de l'expédition. Vous devrez rendre compte des doutes, intellectuels, sentimentaux, moraux, qui l'agitent et ne pas vous contenter d'un simple récit anecdotique.

Chercher

9 Cherchez des récits journalistiques de faits-divers révélant des actes récents de cannibalisme.

Oral

10 Lisez quelques scènes imaginées par la classe (*cf.* question 7), puis débattez sur les raisons du cannibalisme des Papous.

11 Faites un exposé sur la culture des Papous.

À SAVOIR

POUR COMPRENDRE

SUSPENS ET MÉTAPHYSIQUE

Exception faite du premier tableau de *Zoo* et du chapitre premier des *Animaux Dénaturés,* qui commencent de la même façon, «selon les règles, par la découverte d'un cadavre », le schéma dramaturgique (relatif à la composition de la pièce et de la succession des actions) diffère considérablement du schéma narratif linéaire où les faits se succèdent chronologiquement (voyage, découvertes, procès) jusqu'au dénouement (verdict). En outre, les effets de surprise sont estompés, dans le roman, par le chapeau qui précède chaque chapitre, dans la tradition du conte voltairien. La structure de la pièce est plus complexe : chaque retour en arrière (acte I, tableau 4 ; acte II, tableau 7) est déclenché par un rappel des faits, comme il est d'usage dans un procès, et chaque scène de «tribunal » est précédée d'une scène de «cabinet » qui met en scène le juge et sa femme, commentant l'action en cours (ce qui est moins courant). Le rythme s'accélère à partir du second acte et de la reprise d'audience, qui voit se succéder de nombreux rebondissements, d'autant plus notables qu'ils sont espacés de temps d'arrêt qui ménagent le suspense. Une première révélation sur l'apprentissage de l'anglais par les tropis (p. 73, l. 19) sert d'embrayage à un développement sur le langage et la communication (p. 74-75, l. 27-57). L'annonce d'une révélation sur les Papous (p. 75, l. 62) est retardée par le flash-back, la curiosité éveillée par des effets inattendus (*cf.* didascalies, p. 76) et le suspense entretenu par la diversion du retour de Douglas, qui élude toutes les questions. La tension est à son comble quand éclatent les «hurlements sauvages » dont on n'aura l'explication qu'avec le retour de Pop, qui mime d'abord, puis déclare que les Papous font rôtir les tropis. « Horribles anthropophages » ou « paisibles chasseurs » ? De la réponse à cette question dépend le statut des tropis et, par voie de conséquence, l'évolution du procès en cours. Mais un dernier rebondissement empêche de poursuivre plus avant la réflexion sur l'âme, qui sera reprise plus loin. « Une bande de cannibales autrement féroces » menace les tropis. Les anthropologues ne peuvent plus se contenter d'«observer », il va leur falloir « prouver » que les tropis sont des humains pour les sauver. Et le suspense continue... Qu'est-ce que l'homme ?

Lire

1 Interprétez l'indication scénique concernant le témoin (p. 86). Quelle personnalité se dégage de son interrogatoire (l. 1-110) ?

2 Observez l'allongement des répliques : quel est le thème commun à toutes les tirades ? Quelles en sont les implications éthiques ? économiques ?

3 Relevez, dans les tirades successives du savant Eatons, les arguments qui lui servent à étayer ses théories racistes. À quels faits historiques se réfère le juge Draper pour l'interrompre (p. 103, l. 438-441) ?

4 Quel membre du tribunal vous semble le plus persuasif au cours de cette audience ?

5 Sur quels points la défense et l'accusation sont-elles d'accord ? Pourquoi est-ce le procureur qui lit les conclusions du rapport Drexler ?

Écrire

Écrits d'argumentation

6 Commentez et illustrez d'exemples empruntés à l'histoire ou à la fiction la définition que donne Sybil du racisme (p. 93, l. 196) : « le racisme, c'est la loi du plus fort, rien d'autre ».

7 Dans un développement structuré d'une trentaine de lignes, vous tenterez de répondre à l'interrogation de Sybil qui résume la première partie du débat (p. 96, l. 256) : « Où finit l'animal, où commence l'homme ? »

Chercher

8 Lisez dans *La Controverse de Valladolid* de J.-C. Carrière (1992) le chapitre XII, au cours duquel le légat du pape essaie de faire rire un couple d'Indiens pour décider de leur appartenance à l'espèce humaine.

9 Renseignez-vous sur l'histoire de l'esclavage dans le monde, notamment au Brésil : par exemple, dans *La Commune des Palmares* de B. Péret (1955), chapitre « Les faits ».

Oral

10 Débattez à l'issue de la projection du téléfilm que J.-D. Verhaeque a adapté du roman de J.-C. Carrière : *La Controverse de Valladolid* (1992), ou bien après la projection du film de Rachid Bouchared : *Little Sénégal* (2001).

POUR COMPRENDRE

À SAVOIR

SCIENCE ET CONSCIENCE : LA BIOÉTHIQUE

La bioéthique, en tant que discipline « étudiant les problèmes moraux soulevés par la recherche biologique, médicale ou génétique » (dictionnaire *Le Petit Robert*) n'a que 20 ans. L'actuel président (depuis 1992) du Comité national d'éthique, J.-P. Changeux, est biologiste et mathématicien, spécialisé dans l'étude du système neuronal. Ses travaux croisent souvent ceux d'A. Jacquard, biologiste et généticien spécialisé dans la génétique des populations, et ceux d'Y. Coppens, paléontologue spécialisé dans l'étude des crânes et des genoux d'australopithèques. Ces trois savants participent aux grands débats médiatiques sur les origines de l'homme, qui ont pour corollaires des débats sur le rôle moral et social de la science.

L'interrogatoire contradictoire des experts Knaatsch et Eatons soulève le problème vieux comme le monde de l'observation scientifique et de son interprétation idéologique. Les travaux de Lamarck (1744-1829) et Geoffroy St-Hilaire, puis de Darwin (1809-1882), qui constatent une « sélection naturelle » des espèces s'expliquant par une « lutte pour la vie », apportent une caution scientifique aux thèses racistes du Pr Eatons, qui se prétend « zoologiste », comme le font tous les racistes, s'appuyant sur une prétendue hiérarchisation des espèces naturelles et des races, donc sur l'existence de « groupes ethniques inférieurs » (p. 103, l. 437). Dix ans après l'Holocauste, Vercors donne la parole aux théoriciens des génocides pour en faire le procès. C'est avec le plus grand mépris que le procureur donne lecture du rapport Drexler (p. 91-92, l. 140-163), personnage inventé (*cf.* note 5, p. 102), dont les théories étaient alors mises en pratique par les régimes politiques d'Afrique du Sud et de Rhodésie (apartheid) et des États-Unis d'Amérique (ségrégationnisme)... Avant-hier les Indiens, hier les « nègres », aujourd'hui les tropis, et demain pourquoi pas nous ? comme le suggère ironiquement Sybil, à qui Vercors confie une définition du racisme qui résume la démonstration faite par Vancruysen des fondements du colonialisme (p. 90, l. 99-110). En faisant de Vancruysen un descendant de Vanderdendur (nom de l'esclavagiste dans *Candide*, 1759), Vercors s'inscrit dans la lignée satirique et philosophique de Voltaire : le crime continue, et le « prix du sucre » ne cesse de monter !

QUI SOMMES-NOUS ?

Lire

1 Notez les différences du dispositif scénique entre le tableau 9 et le précédent. Qu'apportent-elles aux significations du texte ?

2 Recensez les membres du Jury. Pourquoi l'auteur ne les a pas caractérisés par leur profession, comme les autres personnages ?

3 Sur quels critères s'appuient les jurés pour juger de l'humanité des tropis ? Quelles sont leurs divergences ? Que sous-entend le moustachu répondant au colonel (l. 17) ?

4 À quel sens du mot *homme* renvoient les « définitions » du juge (p. 111, l. 90-91) ? Que proposent les jurés comme éléments spécifiques de la nature humaine ? Leur inventaire diffère-t-il de celui des savants ?

5 Relevez les énoncés de caractère proverbial (maximes, sentences, aphorismes) dans la discussion entre les jurés : expriment-ils plutôt le « bon sens » populaire ou la sagesse philosophique ?

Écrire

Écrit d'argumentation

6 Choisissez l'une des sentences relevées (*cf.* question 5) et commentez-la dans un développement argumenté d'une trentaine de lignes.

Écrit d'invention

7 Les tropis parlent comme vous : faites-les dialoguer pendant la visite au Muséum sur les humains qui les observent (aidez-vous du résultat de vos recherches, *cf.* question 9).

Chercher

8 Faites une recherche sur les parcs zoologiques (origine, fonction, évolution).

9 Choisissez, dans la liste suivante, un extrait d'une œuvre reposant sur l'inversion du regard sur l'autre : *L'Ingénu*, Voltaire (1767) ; *Supplément au Voyage de Bougainville*, D. Diderot (1772) ; *La Ferme des animaux*, G. Orwell (1945) ; *La Planète des singes*, P. Boulle (1963).

Oral

10 Lisez l'extrait de *L'Anthropologie n'est pas un sport dangereux*, de Nigel Barley (p. 173-175) puis quelques travaux d'élèves (réponses à la question 7), et débattez sur le thème : « Le sauvage, c'est l'autre ! »

LE THÉÂTRE ET SON DOUBLE

La réécriture de son roman en comédie montre que Vercors avait compris que, « dans une pièce de théâtre, la partie véritablement et spécifiquement théâtrale du théâtre » est la mise en scène (A. Artaud, *Le Théâtre et son double*, Gallimard, 1938). La précision du dispositif scénique en témoigne. En créant l'illusion d'espaces inversés (p. 108, l. 3-6), Vercors projette dans l'espace ce qu'il n'avait pu montrer dans le roman et qui nécessite la mise en œuvre d'autres arts. L'architecture, l'éclairage, le décor, la musique, les costumes, et le jeu des comédiens font partie intégrante de la mise en scène. L'histoire du théâtre est inséparable de l'histoire des lieux de représentation : le mot grec *théâtron* désigne la construction en plein air où s'accomplissait le rituel dionysiaque des panathénées (fêtes données à Athènes en l'honneur de la déesse Athéna). Les mystères du Moyen Âge se jouaient sur les parvis des églises et les farces sur des tréteaux dressés en plein air. Le théâtre de cour du Grand Siècle se jouait dans les jardins (théâtres de verdure) ou les salles de château. La construction d'édifices spécialisés équipés de machineries a donné plus d'importance à la scénographie. L'éclairage au gaz, puis l'électricité, ajoutés aux effets d'optique, renforcent l'illusion. L'art de la mise en scène au XXe siècle est lié à des lieux mémorables : l'Odéon, où Antoine (1858-1943) transféra son Théâtre-Libre ; l'Œuvre, où Lugné-Poe (1869-1940) scandalisa le public avec *Ubu roi*, le Vieux-Colombier, où Copeau se contenta « d'un tréteau nu » ; sans oublier, au tournant du siècle, la cour d'honneur du palais des Papes (Festival d'Avignon) et le palais de Chaillot (Paris), où Jean Vilar inventa le Théâtre national populaire. La création théâtrale s'internationalise : B. Brecht et son « Berliner Ensemble » (1954), G. Strehler et son « Piccolo Teatro » de Milan (1960) impressionnent le public français. À la fin des années 60, J. Scherer crée à la Sorbonne un « Institut d'études théâtrales ». La fin du siècle marque l'âge d'or de la mise en scène, au point parfois de masquer les textes. Ce n'est pas le cas des plus grands, dont le nom reste associé aux lieux de représentation : J.-L. Barrault au théâtre d'Orsay, A. Mnouchkine à la Cartoucherie de Vincennes, P. Brook aux Bouffes du Nord, P. Chéreau au théâtre des Amandiers (Nanterre) – tous héritiers à divers titres du Théâtre national populaire qui montrait (notamment avec *Zoo*, choisi par G. Wilson pour inaugurer sa première saison au T. N. P.) que l'on peut divertir et instruire en même temps.

POUR COMPRENDRE

Lire

1 Notez les effets de symétrie entre les didascalies des pages 27 et 117 et celles des pages 36 et 124. Quelle est la valeur symbolique des indications ajoutées ?

2 Quelle est la fonction du début de dialogue (p. 117-118, l. 1-37) ? Quel est le trait dominant de l'esprit français selon le juge Draper ? Rapprochez la tirade du juge (l. 42-63) de la réplique du président du Jury (p. 112, l. 108-112). Qu'en déduisez-vous sur le point de vue de Vercors sur les institutions ?

3 Qu'apporte le contexte à la tirade de Lady Draper (p. 120-122, l. 85-129) ? À quelle logique obéit son bavardage ?

4 Découpez le dernier tableau en fonction de la progression des raisonnements menant à la conclusion du débat ; relevez les répliques résumant chaque étape (et ayant valeur d'argument).

5 Mettez chaque argument du dernier tableau en relation avec les problèmes soulevés au cours du procès. Qu'apportent-ils de nouveau ?

6 Pourquoi « rébellion » et « religion » sont-ils synonymes (p. 128) ? Pourquoi Jameson et Minchett ne sont-ils pas d'accord ?

7 Que signifient les réactions de la dame Quaker (p. 133, l. 245-246) et du moustachu (p. 137, l. 332) ?

8 Par quel raisonnement l'avocat de la défense parvient-il à supprimer l'aporie (situation paraissant sans issue) qui empêchait jusque-là tout verdict équitable ?

Écrire

Écrit fonctionnel

9 Rédigez un paragraphe sur les marques d'oralité dans la tirade de Lady Draper (p. 120-122, l. 85-129) en vue d'une interprétation stylistique pour un commentaire.

Écrit d'invention

10 Vous êtes journaliste au *Times* ; vous rendez compte du verdict en le commentant de la manière la plus objective possible, après avoir rappelé brièvement les faits.

Chercher

11 Lisez dans un manuel d'histoire littéraire des extraits d'œuvres de philosophes ayant critiqué ce que les « civilisés » ont apporté aux « sauvages ». Vous pouvez aussi consulter le groupement de textes « Nature et civilisation » du *Supplément au Voyage de Bougainville* (« Classiques et Contemporains », Magnard).

À SAVOIR

POUR COMPRENDRE

LA SCIENCE-FICTION

L'exemplarité de *Zoo* ne se limite ni à son contenu scientifique, ni à sa dramaturgie originale ; elle est aussi dans l'intrigue typique d'un genre littéraire qui connaît en France, après la guerre, un brusque essor : la science-fiction. Aujourd'hui, l'appellation recouvre une grande variété de registres qui vont de l'« utopie » au « space-opera », en passant par l'« heroïc fantasy ». Vercors, héritier d'H. G. Wells, a plutôt recours à l'« anticipation scientifique », qui imagine un « ailleurs » plus ou moins proche dans le temps ou l'espace et dont la description est censée faire réfléchir aux problèmes du monde contemporain. C'est dans cette tradition que s'inscrivent aussi G. Orwell (*1984*, 1949) et P. Boulle (*La Planète des singes*, 1963). Le roman de Pierre Boulle est l'archétype du roman d'anticipation qui, tout en transposant Homère (*L'Odyssée*), confronte le voyageur du XXe siècle à un monde perdu où subsiste une humanité antérieure (*cf. Les Dieux rouges*, Jean d'Esme) ou bien un monde animal inconnu, parfois résultant d'expérimentations scientifiques (*L'Île du docteur Moreau*, H. G. Wells).

La formation scientifique de Vercors se reconnaît au sérieux des connaissances anthropologiques qui irriguent son texte. Les hypothèses qui dynamisent l'intrigue sont vraisemblables, hormis la survivance du pithécanthrope. Les travaux les plus récents confirment la thèse de Sybil d'un ancêtre commun au singe et à l'homme, et il n'est pas impossible que certains singes (chimpanzés) soient prochainement classés parmi les « premiers » hommes, plutôt qu'avec les « derniers » singes : Vercors avait donc un demi-siècle d'avance sur la phylogénétique (étude de l'évolution des espèces par les biologistes généticiens et les paléontologues), en faisant de ce classement le ressort dramatique de sa pièce, en même temps qu'un enjeu philosophique que l'on retrouve au cœur de tous les récits mythiques ou fantastiques de métamorphoses. La génétique sait aujourd'hui ce qu'il y a de commun entre l'homme et le crapaud des contes de fées. Le philosophe aussi, même si leurs critères diffèrent (*cf.* « Groupement de textes », p. 161) !

ZOO : UNE HYBRIDATION RÉUSSIE

Lire

1 Relisez le premier tableau (l'exposition). Dans la première version de la pièce, représentée au T. N. P. en 1964, le premier tableau se déroulait à « la Cour criminelle britannique » et annonçait le report du procès. Que pensez-vous de la modification dramaturgique apportée par Vercors ?

2 Relisez le dernier tableau (dénouement). Vercors a supprimé les dernières répliques de la version de 1964. C'était un échange entre Sybil et Douglas, qui se terminait par la réplique suivante : « Douglas (*comme si la voix venait du fond des âges*) : L'homme n'est pas dans l'homme, il faut l'y faire éclore ! »
Quel changement d'interprétation la modification de Vercors apporte-t-elle ?

3 Reprenez votre réponse à la question 6, page 144. Réévaluez votre jugement sur cette « comédie judiciaire, zoologique et morale » : lequel de ces trois adjectifs l'emporte ?

4 Quelles modifications feriez-vous subir aujourd'hui au dispositif scénique (p. 15) et au texte, pour les moderniser ?

Écrire

Écrit fonctionnel

5 Vous rédigez la note sur *Zoo* pour un dictionnaire des œuvres littéraires. Vous pouvez vous inspirer du résumé (p. 11), mais vous pouvez également consulter, dans un dictionnaire de ce type, l'article sur *Les Animaux dénaturés*.

Écrit d'argumentation

6 Dans un développement argumenté destiné à convaincre un directeur de salle de théâtre de l'intérêt de la pièce, vous ferez l'éloge de *Zoo ou l'Assassin philanthrope*.

Chercher

7 Procurez-vous sur Internet des dessins de Vercors : par exemple, dans *21 Recettes de mort violente* (1926) ou *Un homme coupé en tranches* (1929). Commentez-en un.

8 Comparez les différentes images que la science-fiction contemporaine donne de l'homme primitif (*cf.* filmographie, p. 179).

Oral

9 Choisissez quelques scènes que vous trouvez particulièrement drôles, pour les lire – ou les interpréter – devant la classe.

À SAVOIR

POUR COMPRENDRE

PLURALITÉ DES LECTURES DE *ZOO*

Le simple survol des notions abordées dans les étapes précédentes montre la diversité des questions soulevées par *Zoo* et la pluralité des lectures possibles (*Cf.* rubriques « À savoir »). Ces lectures n'épuisent pas pour autant les significations d'une œuvre d'une richesse exceptionnelle. La réécriture du roman en pièce, les corrections de la pièce entre les deux représentations de 1964 et 1975 (suppression du premier tableau et des dernières répliques, redécoupage des tableaux en deux actes au lieu de trois) sont autant de modifications révélatrices des intentions de l'auteur. Le ton est plus mordant et plus politique dans la dernière version.

Si l'on compare les couvertures des différentes éditions du texte, on remarque également que l'accent est mis tantôt sur la partie philosophique du concept « d'animaux dénaturés » avec des dessins de métamorphoses (*Les Animaux dénaturés,* « Livre de Poche », Albin Michel, 2002), tantôt sur la comédie de genre – la couverture de *L'Avant-Scène Théâtre* (juillet-août 1964) met en scène les personnages principaux à la barre des témoins. Plus tard, c'est la valeur allégorique du discours sur l'évolution qui est privilégiée : un immense chimpanzé observe une portée de poussins, sur la couverture de *L'Avant-Scène* (novembre 1975). Et aujourd'hui, la couverture du présent ouvrage – un singe à l'attitude très « humaine » – pose la question essentielle de la pièce : qu'est-ce qu'un homme ?

On peut rapprocher *Zoo* d'autres romans de Vercors (*Le Silence de la mer, Sylva*) et de ses essais (*Plus ou moins homme*, 1950 ; *P.P.C.*, 1957), voire de ses dessins (*Un homme coupé en tranches*) pour reconstituer le portrait d'un homme libre, un « existentialiste », tel que le définit Sartre, « condamné à chaque instant à inventer l'homme ». Ce que fait en effet Vercors à partir d'un crâne de pithécanthrope, comme l'avait fait avant lui Shakespeare avec le crâne de Yorick questionné par Hamlet avant son passage à l'acte (*Hamlet*, V, 1).

LE PROPRE DE L'HOMME

Où finit l'animal ? Où commence l'homme ? Les innombrables métamorphoses qui traversent les récits légendaires témoignent de l'universalité du questionnement ontologique. Hommes-loups et femmes-renardes en Europe, hommes-tigres et femmes-panthères d'Asie sont autant de variations allégoriques sur la « condition humaine ». L'homme est une énigme, et Pascal lui conseille, au lieu de chercher en vain des certitudes, d'opter pour la religion. Voltaire répond à Pascal (« ce misanthrope sublime ») que l'homme n'est pas une énigme et « qu'il paraît être à sa place dans la nature », au milieu des animaux « auxquels il est semblable par les organes […], auxquels il ressemble probablement par la pensée » [1] – vision de l'homme que l'on retrouve dans l'article « Bêtes » de son *Dictionnaire philosophique portatif* (p. 164). C'est aussi le point de vue de Vercors, qui voit dans l'homme un animal « dénaturé » (en rébellion contre la nature) et corollairement, dans l'animal, un « être » asservi qui accède à l'humanité par l'éveil de sa conscience. Cette conscience ne fait jamais défaut au Gregor Samsa de Franz Kafka, métamorphosé en monstrueux insecte, sans rien perdre de sa lucidité intellectuelle ni de ses sentiments mitigés pour ses « semblables » (*cf.* p. 169). Le père de Kafka avait coutume, dit-on, de traiter son fils de « vermine ». Le recours au bestiaire, dans l'imaginaire comme dans le langage, est toujours

---

1. *Lettres philosophiques*, XXV, 1734.

révélateur de la vision que l'on a de l'« autre ». Là commence la violence du système colonial, analysé par Frantz Fanon (p. 171). Analyse d'autant plus aiguë qu'elle inverse le regard porté sur le « sauvage », selon un procédé récurrent, chez tous les moralistes, de Voltaire à Vercors, et de plus en plus fréquent chez les anthropologues de terrain et les cinéastes de divertissement.

Blaise Pascal (1623-1662)

Pensées, 1670

Après le succès de ses *Lettres à un provincial* ou *Provinciales* (1656-1657), où il intervient dans le conflit entre les jésuites et ses amis jansénistes, Pascal entreprend une *Apologie* (ou « défense ») *de la religion chrétienne,* qu'il n'a pas le temps de mener à bonne fin. Après sa mort, ses notes sont publiées sous le nom de *Pensées,* selon plusieurs types de classements : un classement par contenu, selon un plan thématique, ou un ordre respectant les liasses de fragments regroupés par Pascal. Le fragment ci-dessous appartient aux « Papiers non classés » (texte établi par L. Lafuma, 1947) et au thème de la « Misère de l'homme sans Dieu ». Son constat de « l'homme incapable de vérité » est le même que celui de Montaigne, dont il s'écarte dans les conclusions morales.

« Je ne sais qui m'a mis au monde, ni ce que c'est que le monde, ni que moi-même ; je suis dans une ignorance terrible de toutes choses ; je ne sais ce que c'est que mon corps, que mes sens, que mon âme et cette partie même de moi qui pense ce que je dis, qui fait réflexion sur tout et sur elle-même, et ne se connaît non plus que le reste.

Je vois ces effroyables espaces de l'univers qui m'enferment, et je me trouve attaché à un coin de cette vaste étendue, sans que je sache pourquoi je suis plutôt placé en ce lieu qu'en un autre, ni pourquoi ce peu de temps qui m'est donné à vivre m'est assigné à ce point plutôt qu'à un autre de toute l'éternité qui m'a précédé et de toute celle qui me suit. Je ne vois que des infinités de toutes parts, qui m'enferment comme un atome et comme une ombre qui ne dure qu'un instant sans retour. Tout ce que je connais est que je dois bientôt mourir ; mais ce que j'ignore le plus est cette mort même que je ne saurais éviter.

Comme je ne sais d'où je viens, aussi je ne sais où je vais ; et je sais seulement qu'en sortant de ce monde je tombe pour jamais ou dans le néant, ou dans les mains d'un Dieu irrité, sans savoir à laquelle de ces deux conditions je dois être éternellement en partage. Voilà mon état, plein de faiblesse et d'incertitude. Et, de tout cela, je conclus que je dois donc passer tous les jours de ma vie sans songer à chercher ce qui doit m'arriver. Peut-être que je pourrais trouver quelque éclaircissement dans mes doutes ; mais je n'en veux pas prendre la peine, ni faire un pas pour le chercher ; et après, en traitant avec mépris ceux qui se travailleront de ce soin, – quelque certitude qu'ils en eussent, c'est un sujet de désespoir, plutôt que de vanité –, je veux aller, sans prévoyance et sans crainte, tenter un si grand événement, et me laisser mollement conduire à la mort, dans l'incertitude de l'éternité de ma condition future. »

Qui souhaiterait d'avoir pour ami un homme qui discourt de cette manière ? qui le choisirait entre les autres pour lui communiquer ses affaires ? qui aurait recours à lui dans ses afflictions ? et enfin à quel usage de la vie on le pourrait destiner ?

En vérité, il est glorieux à la religion d'avoir pour ennemis des hommes si déraisonnables ; et leur opposition lui est si peu dangereuse, qu'elle sert au contraire à l'établissement de ses vérités. Car la foi chrétienne ne va presque qu'à établir ces deux choses : la corruption de la nature, et la rédemption de Jésus-Christ. Or, je soutiens que, s'ils ne servent pas à montrer la vérité de la rédemption par la sainteté de leurs mœurs, ils servent au moins admirablement à montrer la corruption de la nature, par des sentiments si dénaturés.

Voltaire (1694-1778)
Dictionnaire philosophique, 1764

D'abord envisagé comme un outil critique de la religion, le *Dictionnaire* de Voltaire (ou *Dictionnaire philosophique portatif*) devient vite une sorte d'encyclopédie de poche dont le contenu philosophique est centré sur les valeurs de tolérance et de justice. L'article « bêtes » fait implicitement référence à Montaigne, dont il partage l'idée d'une nature commune à l'homme et à l'animal, et explicitement à Descartes, dont il rejette l'idée d'un animal-machine, dépourvu d'âme.

BÊTES

Quelle pitié, quelle pauvreté, d'avoir dit que les bêtes sont des machines privées de connaissance et de sentiment, qui font toujours leurs opérations de la même manière, qui n'apprennent rien, ne perfectionnent rien, etc... !

Quoi ! cet oiseau qui fait son nid en demi-cercle quand il l'attache à un mur, qui le bâtit en quart de cercle quand il est dans un angle, et en cercle sur un arbre ; cet oiseau fait tout de la même façon ? Ce chien de chasse que tu as discipliné pendant trois mois n'en sait-il pas plus au bout de ce temps qu'il n'en savait avant tes leçons ? Le serin à qui tu apprends un air le répète-t-il dans l'instant ? n'emploies-tu pas un temps considérable à l'enseigner ? n'as-tu pas vu qu'il se méprend et qu'il se corrige ?

Est-ce parce que je te parle que tu juges que j'ai du sentiment, de la mémoire, des idées? Eh bien! je ne te parle pas; tu me vois entrer chez moi l'air affligé, chercher un papier avec inquiétude, ouvrir le bureau où je me souviens de l'avoir enfermé, le trouver, le lire avec joie. Tu juges que j'ai éprouvé le sentiment de l'affliction et celui du plaisir, que j'ai de la mémoire et de la connaissance.

Porte donc le même jugement sur ce chien qui a perdu son maître, qui l'a cherché dans tous les chemins avec des cris douloureux, qui entre dans la maison, agité, inquiet, qui descend, qui monte, qui va de chambre en chambre, qui trouve enfin dans son cabinet le maître qu'il aime, et qui lui témoigne sa joie par la douceur de ses cris, par ses sauts, par ses caresses.

Des barbares saisissent ce chien, qui l'emporte si prodigieusement sur l'homme en amitié; ils le clouent sur une table, et ils le dissèquent vivant pour te montrer les veines mésaraïques. Tu découvres dans lui tous les mêmes organes de sentiment qui sont dans toi. Réponds-moi, machiniste, la nature a-t-elle arrangé tous les ressorts du sentiment dans cet animal, afin qu'il ne sente pas? a-t-il des nerfs pour être impassible? Ne suppose point cette impertinente contradiction dans la nature.

Mais les maîtres de l'école demandent ce que c'est que l'âme des bêtes. Je n'entends pas cette question. Un arbre a la faculté de recevoir dans ses fibres sa sève qui circule, de déployer les boutons de ses feuilles et de ses fruits; me demanderez-vous ce que c'est que l'âme de cet arbre? Il a reçu ces dons; l'animal a reçu ceux du sentiment, de la mémoire, d'un certain nombre d'idées. Qui a fait tous ces dons? qui a donné toutes ces facultés? Celui qui a fait croître l'herbe des champs, et qui fait graviter la Terre vers le Soleil. [...]

Écoutez d'autres bêtes raisonnant sur les bêtes; leur âme est un être spirituel qui meurt avec le corps: mais quelle preuve en avez-vous? quelle idée avez-vous de cet être spirituel, qui, à la vérité, a du sentiment, de la mémoire, et sa mesure d'idées et de combinaisons, mais qui ne pourra jamais savoir ce que sait un enfant de six ans? Sur quel fondement imaginez-vous que cet être, qui n'est pas corps, périt avec le corps? Les plus grandes bêtes sont ceux qui ont avancé que cette âme n'est ni corps ni esprit. Voilà un beau système. Nous ne pouvons entendre par esprit que quelque chose d'inconnu qui n'est pas corps : ainsi le système de ces messieurs revient à ceci, que l'âme des bêtes est une substance qui n'est ni corps ni quelque chose qui n'est point corps.

D'où peuvent procéder tant d'erreurs contradictoires ? De l'habitude où les hommes ont toujours été d'examiner ce qu'est une chose, avant de savoir si elle existe. On appelle la languette, la soupape d'un soufflet, l'âme du soufflet. Qu'est-ce que cette âme ? C'est un nom que j'ai donné à cette soupape qui baisse, laisse entrer l'air, se relève, et le pousse par un tuyau, quand je fais mouvoir le soufflet.

Il n'y a point là une âme distincte de la machine. Mais qui fait mouvoir le soufflet des animaux ? Je vous l'ai déjà dit, celui qui fait mouvoir les astres. Le philosophe qui a dit : « *Deus est anima brutorum* » avait raison ; mais il devait aller plus loin.

Vercors (1902-1991)
Sylva, Grasset, 1961

Avec *Sylva*, Vercors poursuit sa réflexion sur la nature humaine commencée avec les *Animaux dénaturés* en recourant une fois encore au genre fantastique à prolongements philosophiques : une renarde, poursuivie par des chasseurs, se transforme en jeune fille, presque « sous les yeux » du narrateur qui la recueille chez lui, et décide de l'éduquer, comme une femme. Tâche ardue qui ressemble par plus d'un trait à celle du Dr Itard[1] éduquant Victor, l'enfant sauvage de l'Aveyron, car si son ana-

---

1. Médecin français (1774-1838) spécialisé dans la rééducation des enfants sourds-muets ; c'est à ce titre qu'il se chargea de l'éducation de Victor, enfant sauvage, trouvé dans l'Aveyron.

tomie est incontestablement féminine, Sylva a conservé son instinct de renarde, comme le montre une scène de jeu dans le poulailler qui manque tourner au carnage et marque un progrès décisif dans l'humanisation de « l'animal ».

Et tout à coup, au milieu des clameurs, je vis que Sylva riait.

C'était la première fois, et c'était un rire si on le voulait bien, un jappement moins près du rire que du cri. Elle avait la bouche grande ouverte, non pas tant en largeur qu'en hauteur, et ce qui en sortait en cascade aurait pu être tout aussi bien des exclamations d'effroi. Pourtant on ne pouvait douter qu'elle ne rît, et même de façon violente. De sorte que (cédant une fois de plus à la facilité factice des explications ingénieuses) je ne pus m'empêcher d'élaborer sur la nature du rire des hypothèses nouvelles. Selon ce philosophe irlandais que les Français ont annexé, du nom de Bergson, le rire serait une défense sociale contre une dégradation possible de l'individu en automate : « Du mécanique plaqué sur du vivant. » Je m'étais toujours dit que c'était vraisemblable mais insuffisant : puisque cela ne rend pas compte de la forme même du rire, cette étrange irruption de hoquets sporadiques. Un autre de ces Français grands amateurs de systèmes et concepts, comme ils disent, « rationnels », du nom de Valéry – un monsieur distingué à visage de vieille femme plissé de mille rides, qui est venu, il y a deux ou trois ans, à l'*Athenoeum*, nous parler de la mort des civilisations – explique dans un de ses ouvrages que le rire est un refus de penser, que l'âme se débarrasse d'une image qui lui semble inférieure à la dignité de sa fonction, exactement comme l'estomac se débarrasse de ce dont il ne veut pas garder la responsabilité, et par le même procédé d'une convulsion grossière. Ce qui sans doute peut rendre compte de la convulsion, mais est loin d'embrasser toutes les occasions qui nous font rire. Tandis qu'en voyant Sylva en proie à son premier éclat, si proche encore de la frayeur, je vis bien qu'il était né de cette frayeur même, soudain transformée en joie : une alerte inutile qui se libère dans cette détente réflexe, brutale, secouante, et qui remet en condition, dans une grande décharge d'euphorie, les nerfs figés par l'effroi – exactement comme un chien sorti de l'eau se réchauffe en grelottant. J'écrivis d'ailleurs sur ce point à Valéry, qui ne répondit pas, et à Bergson, qui voulut bien me répondre. Il objectait que la frayeur, dans nos sociétés policées, était généralement absente des causes qui nous font rire. Cela ne me sembla pas convaincant : nous n'avons plus de poils mais continuons d'avoir la chair de poule ; nous continuons semblablement de rire dans toute situation qui nous rappelle, ne fût-ce qu'au titre de symbole ou d'obscure réminiscence, ces frayeurs ataviques [1] qui cèdent brusquement. Bergson me répondit encore, avec cette fois un peu de vivacité dans l'expression, qu'à m'en croire, les bêtes alors devraient rire pour les mêmes raisons. Cette dernière objection me frappa d'autant plus, que ce tout premier rire de Sylva m'avait frappé aussi comme une manifestation humaine, en effet. Frayeur, joie et « convulsion grossière » devraient donc s'intégrer dans un système de pensée, même très primitif. Je me promis d'y réfléchir ; mais ma défiance naturelle envers les idées (surtout celles des autres), ou ma paresse à leur égard, me distrait trop souvent de ce genre de promesse, et c'est ce qui arriva.

Quand Sylva et Baron (c'était le nom du chien) eurent bien mis, de concert, la cour en révolution, je jugeai qu'il était temps d'intervenir. J'appelai le mastiff [2], le ramenai à sa chaîne, lui intimai le calme et le silence. Sylva nous avait suivis. Je vis qu'elle n'avait pas lâché la mèche en queue-d'aronde [3]. Elle s'assit en tailleur près du chien, qui s'assit à son tour auprès d'elle. Et pendant le reste de la matinée ils continuèrent de regarder ensemble, sans se lasser, l'animation de la ferme. De temps en temps, Baron se tournait vers Sylva pour lui lécher le visage d'un vaste

1. Ancestrales.
2. Chien de garde de race anglaise.
3. Pièce de menuiserie en forme de queue d'hirondelle.

coup de langue, Sylva se laissait faire, et ils devinrent, depuis ce jour, une paire d'amis inséparables.

Au dîner, Sylva persistait à conserver dans sa main droite, étroitement serrée, ce qu'il fallait bien appeler sa mèche porte-bonheur. Cet entêtement éprouva quelque peu la dignité de sa tenue à table. Elle répandit sa soupe, et ne pouvant couper sa viande d'une seule main, voulut la saisir à pleins doigts ; il fallut que Nanny la lui coupât comme pour un enfant. Le soir, nous constatâmes qu'elle s'était couchée avec son talisman à demi enfoncé sous l'oreiller. Mrs Burnley, qui est papiste, proposa de le remplacer par un crucifix de même taille : quitte à l'encourager à croire à la puissance des objets, disait-elle, qu'au moins ce fût pour un symbole qui en valût la peine et pourrait signifier, plus tard, quelque chose. Mais au matin, Sylva jeta le crucifix loin d'elle, avec colère ; et il fallut lui restituer un objet assurément absurde, mais d'autant plus irremplaçable qu'elle l'avait elle-même revêtu de ces pouvoirs imaginaires.

Franz Kafka (1883-1924)

La Métamorphose, 1915, trad. B. Lortholary, « G-F »,
Flammarion, 1999

L'œuvre romanesque de Kafka, écrivain tchèque d'expression allemande, a profondément marqué les écrivains français de la génération « existentialiste ». *La Nausée* de Sartre (1938) ou *La Peste* (1947) de Camus portent l'empreinte de *La Métamorphose* (traduit en 1933), récit allégorique d'une conscience que n'entament à aucun moment les modifications corporelles de celui que Kafka appelle dans son journal son « scarabée noir ». L'extrait qui suit ouvre le récit.

En se réveillant un matin après des rêves agités, Gregor Samsa se retrouva, dans son lit, métamorphosé en un monstrueux insecte. Il était sur le dos, un dos aussi dur qu'une carapace, et, en relevant un peu la tête, il vit, bombé, brun, cloisonné par des arceaux plus rigides, son abdomen sur le haut duquel la couverture, prête à glisser tout à fait, ne tenait plus qu'à peine. Ses nombreuses pattes, lamentablement grêles par comparaison avec la corpulence qu'il avait par ailleurs, grouillaient désespérément sous ses yeux.

« Qu'est-ce qui m'est arrivé ? » pensa-t-il. Ce n'était pas un rêve. Sa chambre, une vraie chambre humaine, juste un peu trop petite, était là tranquille entre les quatre murs qu'il connaissait bien. Au-dessus de la table où était déballée une collection d'échantillons de tissus – Samsa était représentant de commerce –, on voyait accrochée l'image qu'il avait récemment découpée dans un magazine et mise dans un joli cadre doré. Elle représentait une dame munie d'une toque et d'un boa tous les deux en fourrure et qui, assise bien droite, tendait vers le spectateur un lourd manchon de fourrure où tout son avant-bras avait disparu.

Le regard de Gregor se tourna ensuite vers la fenêtre, et le temps maussade – on entendait les gouttes de pluie frapper le rebord en zinc – le rendit tout mélancolique. « Et si je redormais un peu et oubliais toutes ces sottises ? » se dit-il ; mais c'était absolument irréalisable, car il avait l'habitude de dormir sur le côté droit et, dans l'état où il était à présent, il était incapable de se mettre dans cette position. Quelque énergie qu'il mît à se jeter sur le côté droit, il tanguait et retombait à chaque fois sur le dos. Il dut bien essayer cent fois, fermant les yeux pour ne pas s'imposer le spectacle de ses pattes en train de gigoter, et il ne renonça que lorsqu'il commença à sentir sur le flanc une petite douleur sourde qu'il n'avait jamais éprouvée.

« Ah, mon Dieu, songea-t-il, quel métier fatigant j'ai choisi ! Jour après jour en tournée. Les affaires vous énervent bien plus qu'au siège même de la firme, et par-dessus le marché je dois subir le tracas des déplacements, le souci des correspondances ferroviaires, les repas irréguliers et mauvais, et des contacts humains qui changent sans cesse, ne durent jamais, ne deviennent jamais cordiaux. Que le Diable emporte tout cela ! » Il sentit une légère démangeaison au sommet de son abdomen ; se traîna lentement sur le dos en se rapprochant du montant du lit afin de pouvoir mieux redresser la tête ; trouva l'endroit qui le démangeait et qui était tout couvert de petits points blancs dont il ne sut que penser ; et il voulut palper l'endroit avec une patte, mais il la retira aussitôt, car à ce contact il fut tout parcouru de frissons glacés.

Il glissa et reprit sa position antérieure. « À force de se lever tôt, pensa-t-il, on devient complètement stupide. L'être humain a besoin de son sommeil ».

Frantz Fanon (1925-1961)

Les Damnés de la Terre, Gallimard, 1961

Médecin psychiatre, né à Fort-de-France, F. Fanon exerçait à Blida pendant la guerre d'Algérie (1953-1957). Il y étudia les troubles mentaux liés à la guerre coloniale, notamment les « modifications affectivo-intellectuelles et troubles mentaux après la torture ». Expulsé d'Algérie pour ses positions pro-F.L.N., il poursuivit ses activités médicales et politiques à Tunis. Dès sa parution chez Maspero en 1961, *Les Damnés de la Terre* (titre emprunté à la chanson d'Eugène Pottier, *L'Internationale*, 1871) devint « la » référence des révolutionnaires du Tiers-Monde. La première partie de son essai est consacrée à l'analyse de l'aliénation – la déshumanisation – du colonisé par la violence, qui commence par le langage.

La mise en question du monde colonial par le colonisé n'est pas une confrontation rationnelle des points de vue. Elle n'est pas un discours sur l'universel, mais l'affirmation échevelée d'une originalité posée comme absolue. Le monde colonial est un monde manichéiste. Il ne suffit pas au colon de limiter physiquement, c'est-à-dire à l'aide de sa police et de sa gendarmerie, l'espace du colonisé. Comme pour illustrer le caractère totalitaire de l'exploitation coloniale, le colon fait du colonisé une sorte de quintessence du mal […].

Parfois ce manichéisme va jusqu'au bout de sa logique et déshumanise le colonisé. À proprement parler, il l'animalise. Et, de fait, le langage du colon, quand il parle du colonisé, est un langage zoologique. On fait allusion aux mouvements de reptation du jaune, aux émanations de la ville indigène, aux hordes, à la puanteur, au pullulement, au grouillement, aux gesticulations. Le colon, quand il veut bien décrire et trouver le mot juste, se réfère constamment au bestiaire. L'Européen bute rarement sur les termes « imagés ». Mais le colonisé, qui saisit le projet du colon, le procès précis qu'on lui intente, sait immédiatement à quoi l'on pense. Cette démographie galopante, ces masses hystériques, ces visages d'où toute humanité a fui, ces corps obèses qui ne ressemblent plus à rien, cette cohorte sans tête ni queue, ces enfants qui ont l'air de n'appartenir à personne, cette paresse étalée sous le soleil, ce rythme végétal, tout cela fait partie du vocabulaire colonial. Le général de Gaulle parle des « multitudes jaunes » et M. Mauriac des masses noires, brunes et jaunes qui bientôt vont déferler. Le colonisé sait tout cela et rit un bon coup chaque fois qu'il se découvre animal dans les paroles de l'autre. Car il sait qu'il n'est pas un animal. Et précisément, dans le même temps qu'il découvre son humanité, il commence à fourbir ses armes pour la faire triompher.

Dès que le colonisé commence à peser sur ses amarres, à inquiéter le colon, on lui délègue de bonnes âmes qui, dans les « Congrès de culture », lui exposent la spécificité, les richesses des valeurs occidentales. Mais chaque fois qu'il est question de valeurs occidentales, il se produit, chez le colonisé, une sorte de raidissement, de tétanie musculaire. Dans la période de décolonisation, il est fait appel à la raison des colonisés. On leur propose des valeurs sûres, on leur explique abondamment que la décolonisation ne doit pas signifier régression, qu'il faut s'appuyer sur des valeurs expérimentées, solides, cotées. Or il se trouve que lorsqu'un colonisé entend un discours sur la culture occidentale, il sort sa machette ou du moins il s'assure qu'elle est à portée de sa main. La violence avec laquelle s'est affirmée la suprématie des valeurs blanches, l'agressivité qui a imprégné la confrontation victorieuse de ces valeurs avec les modes de vie ou de pensée des colonisés font que, par un juste retour des choses, le colonisé ricane quand on évoque devant lui ces valeurs. Dans le contexte colonial, le colon ne s'arrête dans son travail d'éreintement du colonisé que lorsque ce dernier a reconnu à haute et intelligible voix la suprématie des valeurs blanches.

Nigel Barley (né en 1947)
L'Anthropologie n'est pas un sport dangereux, Payot, 1997

Les ouvrages de N. Barley tranchent sur ceux des anthropologues reconnus, comme Lévi-Strauss ou R. Bastide, non par manque de sérieux scientifique, mais par le ton pince-sans-rire de ses récits d'aventures africaines (*L'Anthropologue en déroute*) ou indonésiennes (*L'Anthropologue mène l'enquête*). Dans *L'Anthropologie n'est pas un sport dangereux*, Barley rapporte d'abord son séjour aux Célèbes, dans l'île de Sulawesi, chez les Torajas, puis le séjour de quatre d'entre eux à Londres où le British Museum les a invités à construire un grenier à riz. Le regard porté par ces quatre « ingénus » sur la civilisation européenne rappelle celui du Huron de Voltaire sur la basse Bretagne (*L'Ingénu*).

Nenek adorait regarder des animaux étranges. Cette étrangeté incluait de nombreuses espèces indonésiennes qu'il n'avait jamais vues. C'est le zoo qui, sans aucun doute, eut le plus grand succès. Devant les orangs-outans, les Torajas ont sauté de joie. Ils furent, comme il se doit, rebutés par les serpents, qui provoquaient chez eux cet agréable petit *frisson* que nous procure un film d'horreur. Un garnement terrifia Nenek avec un serpent en caoutchouc, dans le vivarium. Après avoir réalisé son erreur, il rit pendant plusieurs jours.

« J'aime ça quand les gens font des farces. »

Nenek adora le gorille.

« Wouah ! Vous êtes sûr qu'il ne peut pas nous attraper ? »

La girafe était un concept tellement étranger qu'il refusa tout d'abord d'accepter sa réalité.

« Est-ce qu'elle est née comme ça ? Est-ce qu'elle mange les gens ? »

Ce ne furent pas les animaux auxquels on aurait pu s'attendre qui attirèrent leur attention. Ils ignorèrent le buffle et le bison, bien trop au cœur de la vie des Torajas. Les chevaux présentaient davantage d'intérêt : un cheval anglais est deux ou trois fois plus grand qu'un cheval toraja. Et surtout les chiens.

Les Torajas sont relativement gentils avec les chiens. Ils les mangent, mais ça ne les empêche ni de les caresser ni de leur parler. La plupart des chiens torajas ne sont pas très différents des créatures rabougries, aux oreilles droites, qui sont la norme dans toute l'Asie du Sud-Est, mais les Hollandais ont aussi importé dans l'île quelques spécimens très admirés, avec leurs absurdes poils pelucheux. La diversité des chiens anglais et leur droit de circuler librement dans les maisons les étonnèrent. Leur rencontre avec un danois fut extraordinaire.

« Ça, c'est un *chien* ? »

Effectivement, il était presque aussi gros qu'un cheval toraja. D'abord terrifiés, ils furent vite conquis par son bon caractère. Au bout de cinq minutes, Nenek le caressait, mais on avait l'impression qu'il réfléchissait au meilleur moyen de le découper aux articulations.

Ce ne fut pourtant pas le danois qui les marqua le plus. Un jour, à leur retour, ils étaient vraiment hilares.

« Le parc, dirent-ils, est plein de fous. »

Oh, Seigneur !

« Qu'est-ce qu'ils faisaient ? »

Nouveaux gloussements.

« Ils tournaient en rond… avec des chiens… au bout de morceaux de ficelles. »

Le rire les reprit.

« Mais vous faites la même chose avec les buffles. Vous les emmenez se baigner. J'ai vu des gens passer de l'huile sur leurs sabots et brosser leurs cils. »

Ils durent en convenir d'un ton vexé. Mais c'était différent. Faire ça avec un chien, c'était comme de le faire avec une souris. Dingue !

BIBLIOGRAPHIE

1) Œuvres de Vercors
• Dessins
– *21 Recettes de mort violente*, 1926.
– *Un homme coupé en tranches*, 1929.
– *Silences*, 1932.
– *La Danse des vivants*, 1938.
• Romans et nouvelles
– *Le Silence de la mer* suivi de *La Marche à l'étoile*, « Le Livre de Poche », Albin Michel, 1951.
– *Les Animaux dénaturés*, Albin Michel, 1952.
– *Sylva*, Grasset, 1961.
• Théâtre
– *Zoo* suivi de *Le Fer et le Velours* et *Le Silence de la mer*, éd. Galilée, 1978 (épuisé).
• Essais
– *Le Sable du temps*, Émile-Paul, 1945
– *L'Heure du choix*, éd. de Minuit 1945.
– *Plus ou moins homme*, 1951.
– *P.P.C.*, Albin Michel, 1957.
– *Sur ce rivage*, Albin Michel, 1958.
– *Questions sur la vie à Messieurs les biologistes*, Stock, 1973.
– *Les Chevaux du temps*, 1977.
– *Cent Ans d'histoire de France*, Plon, 1981-1984.
– *À dire vrai* (entretiens avec G. Plazy), F. Bourin, 1991.

2) Œuvres romanesques d'anticipation scientifique
– J. H. Rosny Aîné, *La Guerre du feu* et autres romans préhistoriques, « Bouquins », Laffont, 1911.
– Jean d'Esme, *Les Dieux rouges*, 1923 *in Indochine, un rêve d'Asie,* Omnibus, 1985.
– Roy Lewis, *Pourquoi j'ai mangé mon père*, Actes Sud, 1960.
Ce titre existe également dans la collection « Classiques et Contemporains », Magnard, 2002.
– Robert Merle, *Un animal doué de raison*, Gallimard, 1972.
– Robert Merle, *Les Hommes protégés*, Gallimard, 1974.

3) Motif de la métamorphose
– *Les Métamorphoses*, Ovide, 1 av. J.-C.
– *L'Âne d'or,* Apulée (v. 125 ap. J.-C.).
– *La Belle et la Bête,* Mme Leprince de Beaumont, 1757.
– *L'Île du docteur Moreau,* H. G. Wells, 1896.
– *La Métamorphose*, F. Kafka, 1915.

4) Documentation scientifique
– Y. Coffens, *Le Singe, l'Afrique et l'Homme*, Fayard, 1983.
– A. Jacquard, *L'Éloge de la différence*, Le Seuil, 1978.
– Y. Coppens, *Le Genou de Lucy*, Odile Jacob, 1999
– E. de Fontenay, *Le Silence des bêtes – La philosophie à l'épreuve de l'animalité*, Fayard, 1998.
– Denis Buican, *Éthologie comparée*, Hachette, 1995.
– J.-P. Digard, *Les Français et leurs Animaux*, Fayard, 1995.
– Marc Augé, *Un ethnologue dans le métro*, Seuil, 1986.

5) Revues
• Revues scientifiques
– *La Recherche*, n° 277, juin 1995, « L'origine de l'homme contemporain ».
– *Revue des sciences humaines*, n° 108, août-septembre 2000, « Homme/animal, des frontières incertaines ».
– *Sciences et Avenir*, hors-série n° 125, décembre 2000-janvier 2001, « La langue de l'Homo erectus ».
• Revues littéraires
– *Europe,* n° 543-544, juillet-août 1974, « La poésie et la Résistance ».
– *Avant-Scène Théâtre,* n° 316, août 1964, « *Zoo* au T. N. P. ».

VISITES
– Muséum d'histoire naturelle, Grande galerie de l'évolution »,
36 rue Geoffroy-St-Hilaire, 75005 Paris.
– Musée de l'Homme,
palais de Chaillot, 17 place du Trocadéro, 75016 Paris.
– Musée des Antiquités nationales, place Charles-de-Gaulle,
78100 Saint-Germain-en-Laye.

FILMOGRAPHIE

• Documentaires

– J. Malaterre, *L'Odyssée de l'espèce*, 2002, 1 h 30.
– B. Schroeder, *Koko, le gorille qui parle*, 1978, 1 h 25.
– N. Borgers et P. Picq, *Le Singe, cet homme*, 1998, 52 mn.
– F. Wiseman, *Primate*, 1974, 16 mn.

• Fictions

– F. Fougea, *Hanuman*, 1998, 1 h 30.
– M. Brombilla, *Dinotopia*, 2002 (2 ×2 h).
– J.-J. Annaud, *La Guerre du feu*, 1981, 1 h 36.
– F. J. Schaffner, *La Planète des singes*, 1967, 1 h 50.
– W. S. Van Dyke, *Tarzan, l'homme-singe*, 1932, 1 h 39.
– F. Truffaut, *L'Enfant sauvage*, 1969, 1 h 24.
– J. Tourneur, *La Féline*, 1942, 1 h 13.
– A. Chabat, *Didier*, 1996, 1 h 43.
– J. Cocteau, *La Belle et la Bête*, 1945, 1 h 40.
– Cooper et Schoedsack, *King Kong*, 1933, 1 h 40.
– Don Taylor, *L'Île du Dr Moreau*, 1976, 1 h 38.
– D. Croneneberg, *La Mouche*, 1986, 1 h 36.

INTERNET

– http ://fr.encyclopedia.yahoo.com
– http ://encarta.msn.fr
– http ://www.museums-of-paris.com
– http ://www.mnhn.fr (Muséum national d'histoire naturelle)

Classiques & Contemporains

SÉRIE « LES GRANDS CONTEMPORAINS PRÉSENTENT »

D. Daeninckx présente *21 récits policiers*
É.-E. Schmitt présente *13 récits d'enfance et d'adolescence*

Anouilh, *L'Hurluberlu – Pièce grinçante*
Anouilh, *Pièces roses*
Balzac, *La Bourse*
Balzac, *Sarrazine*
Barbara, *L'Assassinat du Pont-Rouge*
Baudelaire, *Les Fleurs du Mal*
Begag, *Salam Ouessant*
Bégaudeau, *Le Problème*
Ben Jelloun, Chedid, Desplechin, Ernaux, *Récits d'enfance*
Benoit, *L'Atlantide*
Boccace, Poe, James, Boyle, etc., *Nouvelles du fléau – Petite chronique de l'épidémie à travers les âges*
Boisset, *Le Grimoire d'Arkandias*
Boisset, *Nicostratos*
Braun (entretien avec Stéphane Guinoiseau), *Personne ne m'aurait cru, alors je me suis tu*
Brontë, *L'Hôtel Stancliffe*
Calvino, *Le Vicomte pourfendu*
Cauvin, *Menteur*
Chaine, *Mémoires d'un rat*
Ciravégna, *Les Tambours de la nuit*
Colette, *Claudine à l'école*
Conan Doyle, *Le Monde perdu*
Conan Doyle, *Trois Aventures de Sherlock Holmes*
Corneille, *Le Menteur*
Corneille, *Médée*
Cossery, *Les Hommes oubliés de Dieu*
Coulon, *Le roi n'a pas sommeil*
Courteline, *La Cruche*
Daeninckx, *Cannibale*
Daeninckx, *Histoire et faux-semblants*
Daeninckx, *L'Espoir en contrebande*
Dahl, Bradbury, Borges, Brown, *Nouvelles à chute 2*
Daudet, *Contes choisis*
Defoe, *Robinson Crusoé*
Delerm, *L'Envol*
Diderot, *Supplément au Voyage de Bougainville*
Dorgelès, *Les Croix de bois*
Dostoïevski, *Carnets du sous-sol*
du Maurier, *Les Oiseaux et deux autres nouvelles*
Dubillard, Gripari, Grumberg, Tardieu, *Courtes pièces à lire et à jouer*

Dumas, *La Dame pâle*
Dumas, *Le Bagnard de l'Opéra*
Feydeau, *Dormez, je le veux !*
Fioretto, *Et si c'était niais ? – Pastiches contemporains*
Flaubert, *Lettres à Louise Colet*
Gaudé, *Médée Kali*
Gaudé, *Salina*
Gaudé, *Voyages en terres inconnues – Deux récits sidérants*
Gavalda, Buzzati, Cortázar, Bourgeyx, Kassak, Mérigeau, *Nouvelles à chute*
Germain, *Magnus*
Giraudoux, *Ondine*
Higgins Clark, *La Nuit du renard*
Higgins Clark, *Le Billet gagnant et deux autres nouvelles*
Highsmith, Poe, Maupassant, Daudet, *Nouvelles animalières*
Hoffmann, *L'Homme au sable*
Hoffmann, *Mademoiselle de Scudéry*
Huch, *Le Dernier Été*
Hugo, *Claude Gueux*
Hugo, *Théâtre en liberté*
Jacq, *La Fiancée du Nil*
Jarry, *Ubu roi*
Kafka, *La Métamorphose*
Kamanda, *Les Contes du Griot*
King, *Cette impression qui n'a de nom qu'en français et trois autres nouvelles*
King, *La Cadillac de Dolan*
Kipling, *Histoires comme ça*
Klotz, *Killer Kid*
Leblanc, *Arsène Lupin, gentleman-cambrioleur*
Leroux, *Le Mystère de la chambre jaune*
Lewis, *Pourquoi j'ai mangé mon père*
London, *L'Appel de la forêt*
Loti, *Le Roman d'un enfant*
Lowery, *La Cicatrice*
Maran, *Batouala*
Marivaux, *La Colonie* suivi de *L'Île des esclaves*
Maupassant, *Les deux Horla*
Maupassant, *Les Dimanches d'un bourgeois de Paris*
Mérimée, *Tamango*
Molière, *Dom Juan*
Molière, *George Dandin*
Molière, *Le Malade imaginaire*
Molière, *Le Sicilien ou l'Amour peintre*
Musset, *Lorenzaccio*
Némirovsky, *Jézabel*
Nothomb, *Le Sabotage amoureux*
Nothomb, *Métaphysique des tubes*
Nothomb, *Stupeur et Tremblements*
Nothomb, *Barbe bleue*

Olivier Adam, *Je vais bien, ne t'en fais pas*

Pergaud, *La Guerre des boutons*

Perrault, Mme d'Aulnoy, etc., *Contes merveilleux*

Petan, *Le Procès du loup*

Poe, Gautier, Maupassant, Gogol, *Nouvelles fantastiques*

Pons, *Délicieuses frayeurs*

Pouchkine, *La Dame de pique*

Reboux et Muller, *À la manière de... – Pastiches classiques*

Renard, *Huit jours à la campagne*

Renard, *Poil de Carotte* (comédie en un acte), suivi de *La Bigote* (comédie en deux actes)

Reza, *« Art »*

Reza, *Le Dieu du carnage*

Reza, *Trois versions de la vie*

Ribes, *Trois pièces facétieuses*

Rouquette, *Médée*

Sand, *Marianne*

Schmitt, *Crime parfait et Les Mauvaises Lectures – Deux nouvelles à chute*

Schmitt, *L'Enfant de Noé*

Schmitt, *La Nuit de Valognes*

Schmitt, *Le Visiteur*

Schmitt, *Milarepa*

Schmitt, *Monsieur Ibrahim et les fleurs du Coran*

Schmitt, *Oscar et la dame rose*

Schmitt, *Hôtel des deux mondes*

Sévigné, *Diderot, Voltaire, Sand, Lettres choisies*

Signol, *La Grande Île*

Stendhal, *Vanina Vanini*

Stevenson, *Le Cas étrange du Dr Jekyll et de M. Hyde*

t'Serstevens, *Taïa*

Uhlman, *La Lettre de Conrad*

van Cauwelaert, *Cheyenne*

Vargas, *Debout les morts*

Vargas, *L'Homme à l'envers*

Vargas, *L'Homme aux cercles bleus*

Vargas, *Pars vite et reviens tard*

Vercel, *Capitaine Conan*

Vercors, *Le Silence de la mer*

Vercors, *Zoo ou l'assassin philanthrope*

Verlaine, *Confessions*

Verne, *Sans dessus dessous*

Voltaire, *L'Ingénu*

Wells, *L'Homme invisible* (épuisé)

Werth, *33 Jours*

Wilde, *Le Crime de Lord Arthur Savile*

Zola, *Thérèse Raquin*

Zweig, *Lettre d'une inconnue*

Recueils et anonymes

90 poèmes classiques et contemporains
Ceci n'est pas un conte et autres contes excentriques du XVIIIe siècle
Ces objets qui nous envahissent : objets cultes, culte des objets (anthologie BTS)
Cette part de rêve que chacun porte en soi (anthologie BTS)
Contes populaires de Palestine
Daeninckx présente 21 récits policiers
Histoires vraies – Le Fait divers dans la presse du XVIe au XXIe siècle
Initiation à la poésie du Moyen Âge à nos jours
Je me souviens (recueil BTS)
La Dernière Lettre – Paroles de Résistants fusillés en France (1941–1944)
La Farce de Maître Pierre Pathelin
La poésie dans le monde et dans le siècle – Poèmes engagés
La Presse dans tous ses états – Lire les journaux du XVIIe au XXIe siècle
La Résistance en poésie – Des poèmes pour résister
La Résistance en prose – Des mots pour résister
Le Roman de Renart
Les Aventures extraordinaires d'Adèle Blanc-Sec
Les Grands Textes du Moyen Âge et du XVIe siècle
Les Grands Textes fondateurs
Nouvelles francophones
Schmitt présente 13 récits d'enfance et d'adolescence

SÉRIE BANDE DESSINÉE (en coédition avec Casterman)

Beuriot et Richelle, *Amours fragiles – Le Dernier Printemps*
Bilal et Christin, *Les Phalanges de l'Ordre noir*
Comès, *Silence*
Ferrandez et Benacquista, *L'Outremangeur*
Ferrandez, *Carnets d'Orient – Le Cimetière des Princesses*
Franquin, *Idées noires*
Manchette et Tardi, *Griffu*
Martin, *Alix – L'Enfant grec*
Pagnol et Ferrandez, *L'Eau des collines – Jean de Florette*
Pratt, *Corto Maltese – Fable de Venise*
Pratt, *Corto Maltese – La Jeunesse de Corto*
Pratt, *Saint-Exupéry – Le Dernier Vol*
Stevenson, *Pratt et Milani, L'Île au trésor*
Tardi et Daeninckx, *Le Der des ders*
Tardi, *Adèle Blanc-sec – Adèle et la Bête*
Tardi, *Adèle Blanc-sec – Le Démon de la Tour Eiffel*
Tardi, *Adieu Brindavoine suivi de La Fleur au fusil*
Tito, *Soledad – La Mémoire blessée*
Tito, *Tendre banlieue – Appel au calme*
Utsumi et Taniguchi, *L'Orme du Caucase*
Wagner et Seiter, *Mysteries – Seule contre la loi*

SÉRIE ANGLAIS

Ahlberg, *My Brother's Ghost*
Asimov, *Science Fiction Stories*
Capote, *American Short Stories*
Conan Doyle, *The Speckled Band*
Poe, *The Black Cat,* suivie de *The Oblong Box*
Saki, *Selected Short Stories*

Couverture
Conception graphique : Marie-Astrid Bailly-Maître
Photographie : © G. Rollando

Intérieur
Conception graphique : Marie-Astrid Bailly-Maître
Réalisation : Nord Compo, Villeneuve-d'Ascq

Remerciements de l'auteur
À Sylvie et Marc Howlett, pour la pertinence du choix de titre et leur aide
« scientifique ».

© Éditions Galilée, 1978.

© Éditions Magnard, 2003, pour la présentation,
les notes, les questions et l'après-texte.

Éditions Magnard
20, rue Berbier-du-Mets
75013 Paris

www.magnard.fr

Achevé d'imprimer en Janvier 2016
par «La Tipografica Varese Srl» Varese
N° éditeur : 2016-0733
Dépôt légal : avril 2003

Certifié PEFC
Ce produit est issu
de forêts gérées
durablement et de
sources contrôlées
PEFC/18-31-264   www.pefc-france.org